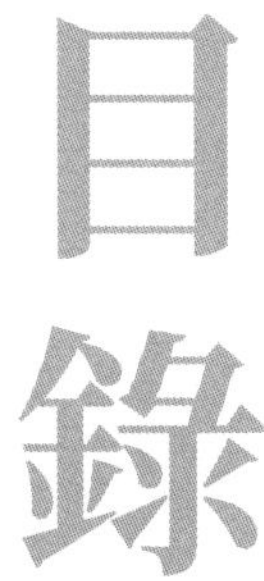

技術與製作篇

（從左起）楊福全、曾以德、李浩賢、陳志權

期待百花齊放：思索本地製景發展

日期：二〇二一年四月十八日

時間：下午一時至三時

地點：中英劇團

訪問：朱琼愛（朱）、陳國慧（陳）、林喜兒（林）、潘詩韻（潘）

分享：曾以德（德）、楊福全（福）、陳志權（權）、李浩賢（李）
（按發言序）

整理：葉懿雯

德： Frank（楊福全），你資歷最深，不如請你先分享與魯師傅的相識經過？

福： 我第一次與魯師傅見面應是在一九九一年，那時我還在香港演藝學院（HKAPA）讀書，Lena（李瑩）臨時調派我到「香港藝術節」（藝術節）工作，薪水很少，只有兩千元。那個製作是一九九二年上演的歌劇《托斯卡》（*Tosca*），當時只有我一個助理舞台監督。我第一次看見魯師傅就是他在台上喝罵，甚麼都罵上一頓。那次的佈景很複雜，舞台是歌劇常用的斜台，台上有一條窄長的樓梯，長約七米，第一幕時平行橫放在舞台，第二幕時轉為直立，第三幕時則斜放，可想而知長樓梯的「level difference」（水平調度）的控制有多複雜。佈景全由魯師傅的團隊製作，我當時看到只覺得「驚為天人」。特別記得樓梯橫放、直放、斜放的水平調度相當複雜，他想出運用「cougar lift」（升降工作台）調節的方法。聽說第一次轉景就花了一整個晚上，後來最快也花了五小時，使得演出時間延長了。那便是我第一次見到魯師傅，當時我只是一個「小薯仔」（新人）。

我真正認識魯師傅是在一九九二年畢業後、任職「藝穗會」時。當時藝穗會第一次負責亞洲藝術節的開幕節目，與「悉尼劇團」（Sydney Theatre Company）聯合製作《遠大前程》（*Great Expectations*）。（當時的舞台設計）何應豐提議邀請魯師傅製景，我便在他的介紹下和魯師傅見面。演出場地是香港文化中心（文化中心）大劇院，當時可因此申請運用位於文化中心七樓的工場製景，於是工作期間時常到七樓找魯師傅，在「7M」的小房間裡討論佈景。他在房裡畫圖、抽煙，煙霧彌漫，黃師傅（黃秉風）、Lok 哥（樂寬會）、阿二（李紅寶）則在樓下工作。那便是我第一次正式和魯師傅的合作。

德：　不如Ricky（陳志權）老師你來分享和魯師傅相識的經過。

權：　我剛畢業時，雖然知道魯師傅的公司是最大、最可靠、最多人聘用的，但我覺得行內應該有更多製景公司，便嘗試聘用其他公司，所以初出道那段時間我並沒有和魯師傅合作。直至後來負責盧景文創作的大型歌劇佈景，他指定找魯師傅負責製景，才第一次和魯師傅合作。

之前我笑說，我第一次與魯師傅見面便和他吵架，其實不是，而是我罵他，而我也忘記了事件細節，只記得，是聽說魯師傅看不明白設計圖。後來和他合作多了，慢慢留意到他和其他製景公司的分別。和其他公司合作，相對來說，我會忙得多，例如入台時要執修顏色，當然有時候是因為身為設計師總忍不住想修改得更仔細，但有時則是必須親手執修補救。與魯師傅合作則較少需要執修，比較可靠。

當然更大的分別在於預算方面，我不大清楚過程細節，只知道魯師傅有時會願意承接預算緊張的製作。魯師傅很有趣，會看自己是否喜歡那個製作，我不知他會否因此調整收費，但記得他說過比較喜歡「爛爛哋」（破破爛爛）的佈景，因為更有質感，有更多發揮空間。

德：　Lawrence（李浩賢）呢？

李：　我應是一九九五、九六年，在余振球的製作中認識魯師傅。後來過了兩年，我開始擔任PM，魯師傅當時已經搬離火炭的工場，我沒有印象曾到那裡監督佈景，初次去時已是去內地的廠房。

德：　我是再之後一代的PM，但是在進入HKAPA前便認識魯師傅。應是二〇〇〇年左右，我替大學的師姐們做「installation」。我真正和魯師傅合作，是我進入HKAPA後，跟隨Lawrence工作，做ASM，後來做PM。期間我在「中英劇團」（中英）做DSM，當時中英比較少找魯師傅製景，便不常和他見面。偶然碰見，他便罵我不找他合作，我只好解釋不是不想，而是已有指定的製景公司。後來我做PM、做自由工作者，我都會請魯師傅合作，例如「香港戲劇協會」、「致群劇社」的製作。魯師傅對我來說有一種「爸爸」的感覺，因為我與他女兒的年紀相若，他教會我很多東西。

你們除了初次合作的演出，還有甚麼印象深刻的事？

權：　對我來說，最深刻的是一九九八年在內地重演《藝術家的生涯》（*La Bohème*）時的意外，那時親眼看到佈景倒塌下來。當時內地演出場地的規格和現在的當然相差很遠，場地裝置每次挪動都會「擢一擢」（抖一抖），一塊約七米乘以十二米的景片斜放在大平台上，因為人手有限，魯師傅也親自參與搭建佈景。安裝景片期間，整塊景片掉下來，就好像成龍的動作電影裡的情節：一位民工剛好站在景片裡的窗中間，景片掉下時，他便幸運地避開了，沒被壓到，景片掉落後一整塊窗都碎掉。大家當然感到很害怕，但還是需要完成佈景，魯師傅連夜趕工，說幸好原本那扇窗就是要「爛爛哋」，執修後再安裝也看不出有不妥。

福：　補充一些資料，那是在北京世紀劇院裡發生的，是盧景文校長的歌劇，應是由余隆舉辦的第一屆「北京國際音樂節」。那次魯師傅的團隊也一同北上，很開心，一起吃喝玩樂。當時劇院的吊桿沒有緩衝裝置，而《藝術家的生涯》的佈景有一間僭建的屋子、一塊傾斜的破爛大窗、大天花板。因為吊景的負重問題，景片重、吊桿又沒有緩衝裝置，沒有減速，便會「擢一擢」，「擢」多幾下，整塊景片便塌下來。意外發生後，我們便拉著魯師傅商量，最後魯師傅和民工們邊抽煙邊聊天，說著「沒事，沒事」，漸漸化解了擔心。

李： 印象深刻的經歷有很多，有段時間，我所有擔任PM的佈景都是由魯師傅負責製作，但之後也有段時間，我暫停請他幫忙，因為覺得廠房好像出了一些問題，有點變質。魯師傅起初親自跟進大小事項，全程參與。他很清楚各個佈景的進度，到了後期，可能因為年紀、精神各方面的原因，他漸漸減少參與，然後我開始發現廠房的成品質素出現問題，為此開始動氣，慢慢便放棄了。直至負責仙姐（白雪仙）的演出才再找魯師傅，仙姐長情，認定魯師傅來製景後，此後的製作基本上都是找他。

福： 我印象最深刻的是藝術節的歌劇《假面舞會》（*Un Ballo in Maschera*），應是在一九九五年的製作。佈景很大型，由英國的設計師約翰．英格斯（Johan Engels）設計，整個地板是掀起的，成為一個斜台，有一幅需要開合的「curved wall」（弧形牆）。我擔任ATD，負責協助設計師，雖然後來知道他聽得懂廣東話，但始終要靠我來和帶有上海口音的魯師傅溝通。有些技術方面的事情，坦白說，魯師傅是「learning by doing」（在實踐中學習），需要與團隊一起商量達成，逐漸進步。

製作期間，「curved wall」的開合不順暢，吊掛的地板又有問題，影響了藝術表現。Johan不滿，我就夾在中間傳遞訊息，告訴魯師傅Johan的想法，魯師傅罵說沒可能，我就過濾負面訊息，調整說法，再告訴Johan。如此來回多次，嘗試哄勸、緩和他們的爭執。那次我身為助理，擔任促進兩方溝通的角色，處處碰壁，非常深刻。最後製作很成功，Johan走過來和魯師傅握手，魯師傅一笑，便把之前的爭執全忘了。

自此之後，魯師傅時常說我「崇洋媚外」，但其實我在那次之後已很少替外國設計師做事了，不過可能這就是我烙印在魯師傅腦海裡的印象吧。

德：　我印象深刻的，是在我的工作生涯裡，魯師傅幫了我很多，很少「托我手踭」(拒絕我的請求)，唯一一次是二〇一七年製作中英的《孔子．回首63》。佈景是泥沙地，我和Yoki（賴妙芝）很想找魯師傅幫忙製景，因為魯師傅擅長製作這類「raw raw哋」(粗糙) 的佈景。我們一直求他，「三顧草廬」他也不肯。他後來寫了一篇很長的文章給我，說他不是不願意幫忙，而是當時真的很忙，他很喜歡那個佈景，但怕因時間倉促，製作水準會欠佳，反而破壞佈景，所以不想接下工作。那次是他第一次拒絕我的請求，印象很深刻，覺得魯師傅對佈景有很強的堅持，後來他特意請我吃飯，再次解釋拒絕的原由，哄回我。

李：　魯師傅從來沒有拒絕過我，甚麼工作都會接下，說「Lawrence的製作當然要做啦」，也不太計較金錢。當然我盡量都想給他一個合理價錢，現實上卻很難做到，但他時常會說「先把它做完，日後再計算」。

德：　可能是二〇一七年的時候，魯師傅開始退下來，以前我們甚麼演出他也會接，但後來有太多大型製作，他自己或廠房未必能夠應付，便未必全部都會接下來。

福：　那時做PM，想節省製作費用，時常要求魯師傅降價。現在人大了，回頭換轉角度來看，這其實對魯師傅不公平。魯師傅真的很好，會幫助業界解決問題，除了會減價以外，對比其他製景公司，他的美學觸覺也很好。如果由他親自跟進製作，有時他更會向設計師提議做法，雖然有些設計師不太喜歡，但他其實只是因為熟悉佈景製作，為另一個層次的美學加注。

我最後一個和魯師傅的合作應是二〇一一至一三年期間，西九文化區（西九）建造一個茶館劇場模擬室內空間試驗及模擬演出。我請他報價，並說會支付相應費用。說到底，他都是在營運一門生意，某程度上是門家族生意，我們需要尊重他們的專業。

德：　鲁師傅時常說不是來賺我們的錢，而是在外賺錢供養我們。

福：　我時常說他是「劫富濟貧」。

權：　他是民間「ADC」（香港藝術發展局）來的。金錢方面，魯師傅當然是有義氣，例如香港舞台技術及設計人員協會（HKATTS）參與布拉格劇場設計四年展，他真的自掏腰包過去幫忙，還不止一次（圖一、二）。我覺得他好像生活在舞台裡，不會太計較。

Frank剛才說到支付相應費用的問題，我覺得這沒有公平不公平，因為魯師傅享受舞台工作，不是純粹向錢看，只要做得到都會幫忙。他沒有架子、有義氣，還有些率真可愛，這些特質很少在其他判頭的身上看到。對於年輕的設計師，他很願意幫一把，例如即使小型製作資源較少，他都願意幫忙，這些事情都從學生那邊聽到不少。

美學方面，熟悉魯師傅的都知道，他初從內地來港時，在街邊畫畫維生，所以他和其他判頭最大的不同，是魯師傅能夠明白設計背後的美學需要，有時在觀瀾的廠房開會討論佈景，設計師總會堅持自己的設計，魯師傅也會站在設計師的藝術角度去看，並向師傅們解釋要這樣做才美觀。其他判頭很少這樣做，即使會做，大多只是順著設計師的意思。

我出道時，魯師傅已經在行內工作了一段時間，已在觀瀾設廠，他與之前製作歌劇佈景時已經不大相同了。廠房大了，製作變得大型了，變得有些細節他可能未能兼顧，但例如畫背景或大型的佈景，他在觀瀾的確是做得比較好。後來其他判頭請他的徒弟兼職幫忙，於是其他製景公司也慢慢做得到。

福： 我記得早期他會用紅筆畫施工圖，然後分派工作給各個師傅。我從他那邊「半偷師」學來很多施工細節。最記得的，是我很好奇他怎樣計算預算，而他又真的會告訴我計算的方法。我覺得很有趣，因為可以幫助估算製作費，這些資訊對於新手PM來說很有用。施工程序很重要，特別對於大型佈景、在文化中心上演的演出來說，需要仔細安排工作的先後次序和擺位。九十年代後期，沒有現在的電腦軟件協助構思，魯師傅都是在腦海中思考和計算施工程序，並能確切執行、順利運送佈景到文化中心組裝，足見他心思細密。後期雖有徐師傅（徐連平）和其他伙計幫忙，但背後都是他在運籌帷幄，制定施工程序，按部就班地完成製作，這個角色在家族生意中特別重要。

權： 現在有學校教授施工程序，但他當年「紅褲子」（編按：指非學院畢業、從低做起）出身，本身也不是學製景，有趣的是，他會自己聘請助理幫忙，也會邊做邊學，自學能力是他的強項。

福： 你說得對，他善於自學。當年我剛從學院畢業，看見魯師傅和HKAPA的製景方法不同，例如他當時仍會用「wire」繞幾圈吊掛景片。如果我一個「嘅仔」（小伙子）叫他不要這樣做，他便會大喊「走開」。我唯有從英國訂來一些「flying iron」，請他用來吊掛景片，數次過後，他便自行仿製了一些來用。從這些細節可看到，他看到好用的東西會學為己用，雖然從公司營運的角度考量，他不能從外國訂製價值不菲的裝置，但他會帶領廠內師傅製作更合預算的「山寨版」（仿製版），由此也可看到他的吸收和觀察能力很好。

德： 他會說那些裝置沒有用，但之後就會看到他使用相類似的東西。

福： 對，然後說我「崇洋媚外」。

德： 以前我們都很依賴魯師傅，現在他離開了，你們覺得劇場將來會怎樣發展呢？

福： 我很開心他的女婿阿游（蘇紹文）繼續幫忙負責製作的層面。

說起願景，我說業界欠了魯師傅很多，是因為魯師傅會幫忙解決舞台製作的問題。理論上這不應由他這個崗位負責，而是應該由製作團隊負責，去預想問題所在，並設法解決。魯師傅和他的後來者都應該只需專注發揮所長，努力地完成佈景。

我深信現在業界進步了很多，後來者、新晉同業應該可以繼續推動這方面的發展。工作關係上，魯師傅或後來者與製作單位唇齒相依，不能少了其中一方，必需兩方合力完成製作，每個人都有其發揮的地方。

坦白說，看到這二十多年來佈景製作的發展，與燈光、音響等比較，演進相對緩慢。這一方面是因為資源，另一方面便是人才。魯師傅雖然很好，但是單靠魯師傅一個，不會有進步空間，或進步相對較少，如果製景行內百花齊放會更好。以燈光、音響為例，因為有不同的公司，同時跨界涉足商業製作，使得商業製作的器材、人才能夠引進劇場。我們的市場太狹隘，不像倫敦、紐約的製作量多，足以支撐製景等的營運。

可能我們真的太依賴魯師傅，面對魯師傅的離開，我們需要反思過去業界的做法。我當然希望繼續有千千萬萬個「魯師傅」，但我想這也對魯師傅不公平，我們真的需要思考如何促進佈景製作及相關技術的演化。

燈光、音響公司會承接商業製作，魯師傅也承造過很多海港城等商場的大型裝飾佈置，剛才說「劫富濟貧」正是這個意思。希望日後資源同樣地可以跨界分享，使得劇場的生態更健康。

權： 從我讀舞台設計到現在，已經三十多年，正如剛才Frank說，看到佈景製作方面的發展真的很慢，慢得我有段時間覺得很心淡，因為有時佈景設計了出來沒有意思，即使能說服導演使用設計，佈景製作經過多年發展，還是經常出現狀況，當中當然有資源問題，但除此以外，簡單基本的東西也有很多錯漏，例如枱腳歪斜不平之類的問題。

權： 我們是否很依賴魯師傅？是的，有時和剛畢業的PM、TM合作，設計後討論可行性時，便會去請教魯師傅。我覺得很奇怪，為甚麼我們會跳至與一個判頭商量？當然那次團隊的經驗不多，於是出現這樣的情況。設計師著眼於最終的效果多於製作的過程，通常發現做不到或未能達成共識，便會改動設計，對我來說未嘗不可，但非首要考慮的事。

你問將來會怎樣，很坦白說，我真的不知道，我時常期待HKAPA畢業生開設製景公司，不要再爭論誰做得好不好，先做好自己。這個期待已經等了二十多年，但仍未發生。

設計師很難從事製景生意，之前有些製景公司邀請我加入，但我最後沒有答應。為甚麼呢？因為身為設計師，如果同時戴上兩頂「帽子」，一頂帽想要節省成本、提高利潤，另一頂帽則追求美觀，兩者就會有矛盾衝突，所以我不會這樣做。如果我開設公司，我就不做設計師；如果是「design-build」（設計—製作，編按：即指設計與製作的工作由同一公司承包）的話，我便選擇賺錢，但這不是我想做的事。話說回來，魯師傅不同於其他製景公司，他不會純粹計較收入，而是會說「義氣」、會說是否高興、會說照顧晚輩。但將來的製景公司會是怎樣的？當然是金錢比較重要，這是現實，也無可厚非。

福： 說句公道話，也有些畢業生開設公司，但看到業界養活不了他們，一定要轉往商業製作，他們有能力製作舞台佈景，但選擇不做，當然牽涉營商考慮和困難，不是每個人都像魯師傅般，願意做虧本生意。魯師傅的模式很難複製，回頭來看，可能真的只有魯師傅這樣想而又可以做得到。營運製景工場都是令人厭惡的，當中牽涉很多工序。我非常尊敬魯師傅，同時很期待跨界別的技師能夠出現。

我現在較少參與製作，多數以觀眾的身分入場欣賞演出，發現尤其現在正值疫情後，情況更困難。資源減少，看到佈景規模相對縮小，好聽一點叫「簡約」，或者資源更精準地集中在某幾個重點，不會再看到以前大型音樂劇或舞台劇，例如《酸酸甜甜香港地》(圖三)、《城寨風情》等的規模，也不再有類似美國大都會歌劇院（Metropolitan Opera House）的大型歌劇在香港上演，現在的歌劇多是一景到尾，或採用較簡約精準的設計。身為PM便會看到他們集中了資源製作一個佈景重點，可能是一條柱、一條樓梯，或是現在很流行使用的投影。大家都在參與轉變，我覺得佈景設計或是現在稱作舞台美術的重要性不在於此，有時我和朋友、同事討論，說到演出是否要有很漂亮的佈景，「三幕一景到尾」真的很好，但有不同轉景會否更好？我覺得以觀眾的角度來思考這些問題很有趣。這些最終又回到資源問題。

李： 這是最原始的問題，之前有受訪的朋友說，如果香港有自己的製景工場，聘用受訓的HKAPA同學，便可以重新帶動整個行業生態循環。相反，現在要到內地找魯師傅製景，同學的訓練變得沒有意思。訓練他們繪景、製作道具或佈景，但畢業後沒有機會投身製景行業，只能轉向商業製作賺錢，才能繳付工場租金、器材及水電費用等，種種事情促成香港製景行業的衰微。

魯師傅有段時間想請人幫忙，曾問我是否願意，他不想繼續頻繁往來內地和香港，所以希望找到人擔任橋樑，同時又懂得英文，能夠向他解釋相關資料，最後也請到了人來幫忙。這也是他其中一個改善自己的方法，幫助廠房運作得更好，我覺得這也是有趣的。

朱： Ricky，你和魯師傅合作、吵架期間，他曾否提出過一些意見改善了你的設計？

權： 我不太記得細節了，吵架是日常，爭論通常都是圍繞著分件。魯師傅提出了很多有用的意見，例如顏色方面，有時預算不足，或在香港買不到指定顏色，他便會改用其他顏色，並提議其他部分改色遷就，務求改動後也達至相類效果。

朱：　其他人呢？雖然你們不是設計師，但是身為夾在中間的溝通橋樑，魯師傅曾否提出過一些意見改善製作？

李：　說起吵架，他其實是「大聲講嘢唔代表無禮貌」（說話大聲不等於沒有禮貌），到頭來他只是想做好事情，而不是覺得你錯，或是覺得你畫圖畫得不清楚。所以和他吵架，轉過頭就沒事，因為大家都只是想完成佈景，或是想入台順利。有次我和他吵架是因為量度位置的問題，我說要從某處開始搭建佈景，但他堅持不信，改由另一處開始，最後做錯了，中間有個空隙，需要臨時填補。他雖然口說是你的錯，但他會自行補救，解決問題。

德：　吵架的情況很多，正如Lawrence所說，他時常很激動，很想給予意見，有時我回應說真的不行，但他仍會堅持己見，於是要和他周旋，他最後大都肯聽。討論時，我和魯師傅時常在設計圖畫滿各自的想法，有時我說設計師堅持這些不能改，他便會叫我請設計師改變想法，我說我身為PM，不能和設計師說這樣設計不好。他會在做法上給予很多有用的意見，我們有時需要時間消化，例如技術上如何製作所需結構。然後便會換個說法，才與設計師溝通，例如說成是改良某些「hinge」（鉸鏈）或「joint」（接駁位）。但有時魯師傅的建議牽涉設計本身，我們就會堅定拒絕，說不可以改動，他便會說「那好吧，就這樣吧」，然後繼續工作。

權：　魯師傅最有用的意見多和預算有關，例如建議最合適的材料尺寸。設計師創作、畫圖時，只著重整個視覺效果，搭配佈景、燈光等，但判頭對某些物料不熟悉，需要設計師指明厚薄，魯師傅看到便會提供建議，例如指出亞加力膠已夠堅固，不需購買較昂貴的厚膠板。

德：　Ricky老師那一代用手畫圖，但有些新一代設計師的設計圖畫得較差、不太清晰，又不能仔細選用物料，例如只是單純想到要一塊亞加力膠片，便指明使用厚10mm的膠板。遇到這些情況，魯師傅很願意討論：又貴又重的10mm厚膠板是否必要？ 5mm是否可以呢？ 3mm呢？不行，3mm太薄會被拗彎，最後便決定使用厚5mm的亞加力膠片。

李： 很多時候我們找魯師傅，說明預算上限可能只有五、六萬，卻有一份長長的製作清單，一旦他答應製景，便會協助修改細節，務求預算合理，而劇團又能負擔。此外，有時我們在同意方案並付清費用後，還想增加製作項目，他也會幫忙而不額外收費，當作是完成製作的一部分，但其實這是不應該的。

陳： 早前的訪問中，其中一位設計師曾分享，魯師傅不只製景，更會製造「心境」，透過邀請大家一同吃飯等的過程，轉移焦點，改變設計師的心境，回頭便能接受佈景上的變動。他當然不是刻意耍心計，而是設計師和他交流期間，心境不知不覺間變得開闊，能夠接受他的改動。

福： 我想最根本的，是魯師傅真的很疼錫設計師。雖然他定是以施工的思維著手，寫白板計算尺寸是否合理，但有趣的，是他和設計師傾談後，知道了設計原意和初衷，便會樂於遷就設計，改動施工方案。

我看過很多設計師和佈景施工人員，雙方的關係其實很緊密，即使最著名的英國設計師Es Devlin也會和施工的工匠合作，這絕對成就了她的設計。雙方需要更多有機的溝通，我時常深信有些東西不是「一加一等於二」，當設計角度和施工角度互相交流，可能「一加一大於二」。

雙方衝突的問題多在於尺寸，我們PM的角色當然是成就設計、明白大致施工的程序，即是吊景次序、擺位，會較著重整體的安排。所謂「好女兩頭瞞」，即是我們傳遞意見時都會換個說法、緩和語氣，不會截然說不可以，不然便不能有效促進溝通，始終我們是「協調角色」。設計是很重要的主體，施工是很重要的步驟，我們從中協調溝通，避免過程出差錯，最終一起成就設計。

我覺得從事劇場製作最大的成就感，是在很緊迫的時間裡成就一件事，整個過程很痛苦，所有單位可以看到你在短短三個月，甚至兩個月成就一件事，最後順利上演，大家拍掌落幕。尤其是現在我比較多做建築項目，項目長達五年、七年，對比之下，更能明白製作劇場表演的滿足感。

權： 設計不是特別神聖，只是製作的一部分，魯師傅的製景工作也是製作的一部分，只不過很多時候主要由設計師負責修改設計，但其實在整個過程中各個角色都做了很多事情，不只靠設計師改動設計、和導演溝通，我相信PM，例如Lawrence、Frank，都在過程中做了很多這些工作，給予很多美學上的意見。有時導演和他們的溝通多於和設計師的，他們對於製作的問題會較清晰，知道製作的問題，也能從觀眾角度思考並提出建議，而不只是設計師和施工人員互相幫忙或爭吵時從中協調。Frank剛才說那番話只是謙虛而已。

福： 不是謙虛，我是說魯師傅的建議能夠改善細節，例如顏色、施工尺寸。

有個很深刻的製作，是毛sir（毛俊輝）的《煙雨紅船》，佈景很大型，要造一艘船。魯師傅當時壓力很大，除了因為佈景規模很大以外，還因為牽涉機動裝置，例如要那艘船既可前後移動，又可轉動方向。那艘船由何應豐設計，可以「by segment」（分件）推出來。

那艘船很重，魯師傅沒有信心處理當中的機動裝置，便尋求第三方幫忙。我覺得這樣很好，魯師傅可以專注他擅長的佈景製作。後來找了負責保養HKAPA「flys system」的公司幫忙。

第一次在HKAPA歌劇院拉動那艘船，台左佈景裡的一幅牆的一部分同時被拉了出來還碎掉，但當時魯師傅沒甚麼所謂，還「笑騎騎」（笑嘻嘻的），因為重點是能夠拉動那艘船，證明計算沒有錯誤，只是「anchor point」（錨點）不足，所以印象很深刻。當然那艘船、其他細節都是請魯師傅的班底製作，他花了很多工夫，因為那艘船很重，鋪在舞台地面上兩層六分厚的台板全部被壓壞，需要經常更換。

李：　魯師傅有時候很有趣的，是他會倒過來向設計師提議保留一些佈景，說不然佈景會很醜，會主動想辦法幫忙降低成本，保留設計。很少做生意的人會這樣傻，預算不足，卻拒絕減少製作內容，通常應該是我們才會這樣做。

福：　是愛。

德：　對，是因為愛。魯師傅是集愛、美學、美術與技術於一身的一個人，所以他很特別。剛才Bernice（陳國慧）提到，年輕設計師和他吃過飯後，好像放下了些甚麼，我也這樣覺得。可能每個階段認識到的魯師傅都有些不同，年輕設計師遇到的魯師傅已經慢慢走出工作環境，走到另一種「分享生命」的狀態。有時我們和徐師傅有些爭拗未能解決，他便會說「先吃飯吧，吃完便可想到解決辦法」，然後就拉著我們去吃飯。

雖然魯師傅漸漸減少親自參與製作，但暗地裡也怕悶，會繼續了解進展。吃飯期間，他會談天說地，不知不覺間讓你明白大家各有堅持，而藝術創作其實有很多不同取向，沒有絕對答案。

陳：　不如也來談談場地方面，多年來香港場地的發展，為舞台製景設計或製作帶來了甚麼挑戰？場地的限制有否促成了某些改變或發展？此外，香港的藝團一直需要北上製景，未來會否有空間能容納本土的製景工場？過去香港可能曾經有過製景工場，那為甚麼會消失了？

訪問期間，大家都說魯師傅的角色很重要，但行業的生態發展上似乎總有阻滯，現在魯師傅已經不在，我們在劇場的硬件配套方面又可以如何做得更好，推動未來發展呢？

福： 我記得魯師傅數年前說，深圳觀瀾地價貴了，而且內地政府把污染性行業再往北移，現在他的廠房已搬至惠州。現在經歷疫情，更發現兩地之隔的問題，幾乎不能親身看佈景，聽聞要透過視像通話來看。但同樣地，因為疫情，地租便宜了，兩地地租的差距拉近，可能會有廠房遷回香港。香港沒有本地的製景工場，根本的問題是高地價，記得我剛到西九上班時，曾問茹總（茹國烈），為甚麼西九不興建製景工場，他一句話便打消了我的念頭，他回答因為高地價，所以無法把倉庫納入優越地段的規劃藍圖裡。

的確如此。幾年前，位於北京的國家大劇院設置了一個「second campus」（第二院區），不在國家大劇院一帶的中心區域，而是在五、六、七環有個「off-site warehouse」（外部倉庫），我很羨慕。

回頭看香港的情況，要做的話一定是「off-site」（離岸）的模式，但機會成本太高，無法支撐商業運作，除非由政府直接營運才可生存。我要重申，西九既不是政府部門，又不是商業機構，而是集兩者壞處於一身的公營機構，沒有政府部門的方便，卻需要像政府部門般透明。

除卻西九的發展情況，香港是否有些尚未發展的地方可用作興建倉庫呢？這有待商榷。地方是一個問題，人才是另一個問題。是否真的有那麼多人入行？三十多年來，不是很多人投身製景行業，這牽涉到資源，包括資金、薪金，是個很大的難題。

所以是否能在西九，或西九以外的地方興建工場呢？這要講求「天時、地利、人和」。如果政府辦不到，我不認為商業機構能夠做到，因為沒有商業前景便無法營運生意。回到「雞和雞蛋」的問題，如果有更多演期較長的製作，例如《Art呃》（*Art*），或是《聖荷西謀殺案》，機會成本或可降低。但現實上，很多時候是星期一入景，到星期五開演，最多演出五場，或是下星期暫停數天再於週末演出。橫跨數星期，機會成本很高。戲劇製作的情況已經較好，舞蹈更不要提，戲曲的話，多是仙姐的製作才能上演多於十場。看到整個生態情況，便覺得業界太「niche」（狹隘），只能把眼光放遠，參考外國例子，跨界商業製作。製景公司可以承接商場、活動方面的工作，再加上舞台製景，公司才能維持營運，佈景製作才能有發展的契機。

為甚麼燈光方面可以在香港健康發展，是因為它們涉足了商業製作。至於音響方面，我之前觀看《我們的音樂劇》，它都需要D&B（編按：著名音響系統公司）贊助環迴立體聲的設備，因為「大國文化」可能計劃長期演出這齣音樂劇，才看到那個潛力。

德：　我認同是資源問題，香港缺乏地方、資金、人才，情況實在困難，不只是劇場製作，即使是商業製作，也未必能找到本地師傅製景。製作佈景需要一整個團隊合力製作，可能是十多人，並非兩、三個人便能成事，在港難以找到足夠人才。還有，香港和內地的人工相距太大，劇場界難以負擔，即使商業製作現時都未必能夠負擔。我只能夠說發展本地製景行業這條路還很遠。

雖然因為疫情，未能到內地看佈景，但近期有些展覽或拍攝工作，我仍是會選擇請內地師傅製景。期間請他們拍攝佈景進度，需要不斷請他們盡可能移近鏡頭，讓我看到佈景細節，我覺得這不是最理想的做法，透過鏡頭未必能看得很清楚，我喜歡親身去看、去摸，但無奈沒有選擇。香港大約只有一、兩間較大的製景工場，平常承接商業製作，現因生意欠佳，願意減價承接劇場製作，但當經濟好轉，它可能會大幅加價，甚至拒絕委托，未必會像魯師傅般「捱義氣」（出於義氣），為了成全創作而接下工作，那又可以怎樣呢？我們之前也討論過這些問題，真的不知道往後會怎樣發展，會有這些憂慮。

權： 因為我的角色不太需要接觸金錢，主要是關於製作，圍繞劇本、設計、美學效果，所以說到這裡，我沒有很多想法。但聽過剛才幾位的分享，有了一些想法。過去三十多年，我們都知道資源不足、行業狹小、人才不足的問題，導致香港製景行業衰微，惡性循環下，人才更是凋零。但面對這個「雞和雞蛋」的問題，怎樣也需要有個突破，不然永復循環無法解決。那可以在哪裡突破呢？剛才說，香港整體的社會環境，採取高地價政策，地價昂貴，而香港人又喜歡向錢看，即時改變似乎是不可能的，可能只能從教育著手，那麼缺口到底在哪裡呢？

以剛才提及的西九為例，礙於尖沙咀附近的地價，不能劃出一個地方做倉庫，卻可鋪設草地讓人散步放狗，其實這只是基於決策時的優次考慮。業界面對「雞和雞蛋」的問題，從一開始便在研討會提出了，政府不是不知道，但最後甚麼也沒有發生。即使提出到更偏遠的地方建倉庫，請民間或政府機構管理，也無人受理。其實擁有資源或位置的人是否可以意識到業界的困難，負責解決呢？我不是要說西九有甚麼問題，而是覺得在這問題上西九可擔當重要的角色。這是我的一些觀察。

我同意業界必須跨界涉足商業製作，藝術從來都不是完全神聖，例如達文西、米開朗基羅也好，最初都是為教廷辦事賺錢，只是數百年後我們仍然欣賞他們的偉大創作。但業界對於商業製作抱持甚麼態度？我想業界不是不想承接商業製作，但如何可以轉型承接商業製作，是很複雜的，團隊中需要有人走出來領頭、需要有人認同他的想法，還有宣傳工作——設計師較少去想這些事情，可能Lawrence他們會有更多想法。

李： 我覺得問題的癥結不在於香港的土地問題。視覺藝術方面，M+可以在西九有一個很大的空間儲存藏品，為甚麼卻未能為表演藝術預留額外空間？這牽涉政府或高層決策人員分配給不同界別的資源比重，他們覺得視覺藝術比較重要，覺得買入艾未未的作品很有用，覺得要收藏畫作。那為甚麼不儲存「皇家莎士比亞劇團」（Royal Shakespeare Company）的東西？這些同樣都有價值，但他們經常都忽略了表演藝術的價值。

曾說過東九文化中心計劃興建擁有工場空間的場地，用作佈景製作的「R&D」（Research and Development，研發）。那是否可如期落實？用家又是否真的可以使用工場空間，還是只是個擺設，使用時將會面對很多行政規限？

此外，香港其實有很多廢棄的學校，既然政府不使用又不處理，為何不交出來讓人使用？以前曾推出「一蚊地」（編按：港英政府為了惠及慈善和非牟利團體，曾推出以「一元租金」租用政府土地的政策），中英現時的會址也是「一蚊地」。把廢棄的學校轉為「一蚊地」，便可讓很多人使用。一間學校可能已經可以容納二十個表演團體，其實還有很多可能性，但沒有門路提出意見、無法促請政府推行相關政策。

福： 相類政策已在大埔藝術中心推行，中心提供特惠租金，讓表演藝術家或團體租用空間。「城市當代舞蹈團」（CCDC）現已搬進大埔藝術中心，有人員進駐、有綵排空間和辦公室，但他們的倉庫仍保留在新蒲崗。那是因為倉庫很大，曾是三大舞團中最大型的倉庫，存放了CCDC過往製作的佈景和服裝。由此可見佈景儲存的問題。

我覺得是業界的聲音太微弱，政府未能聽見。推動支持業界的政策需要進行大量游說工作，現時代表業界的只有HKATTS，或者HKAPA校友會，或者HKAPA舞台及製作藝術校友會，未曾組織有效的游說團隊。此外，目前業界大約只有三千人，在整個環境的比重不大，而且政府對於文娛康樂的要求都是要開心玩樂，不用那麼多反映聲音。這是早期殖民時代的觀念，九七後可能也是如此，現在可能更是如此。

福： 業界是有進步的，剛才說的商業製作多了，也看到前瞻性多了，也多了演期較長的製作，例如《煙雨紅船》，或是更早期的《南海十三郎》，到現在是有進步的，也要繼續做下去。另一方面，是我們可以如何製造更多反映聲音？例如建議在西九預留空間做佈景倉庫，我絕對歡迎。當時我問起這件事，是因為看到外國的例子，例如在悉尼港口，因為地方大，悉尼歌劇院（Sydney Opera House）就可以容納劇院、倉庫、工場，我便會想像西九是否也可以這樣做。晚間有觀眾看演出，日間可以有甚麼活動？可以上課，可以舉行工作坊。這些也都想像過，但已經被人打消念頭了。

但我覺得仍然可以提出意見，例如提出使用廢棄的學校，過程中需要很多游說工作，而且要懂得找對的人幫忙，不然由下而上逐層呈上意見，逐一說服他們，是很辛苦的。

李： 我們有八、九成資助來自政府，所以發展空間很窄，動彈不得。現在看到九大藝團都積極向外張羅企業贊助，嘗試尋求更大的發展空間。但九大藝團以外的團體又該如何自處呢？

福： 那些中小型劇團都受藝發局資助，間接由政府供養。按照我們HKATTS的自由工作者所說，他們真的不會有很大的聲音，因為他們也是間接由政府供養。這是很根本的問題，我們百分之九十五的同工都是由政府或相關機構資助，可能我們的聲音最終也只有那三千個自由工作者，即使九大藝團代表也未必能有效發聲。

林： 剛才你們提到了很多廠房裡的師傅，魯師傅的工作方法和態度如何影響了他的徒弟、其他師傅呢？以你們在旁的觀察，魯師傅和他的團隊是怎樣相處呢？

李： 其實魯師傅的徒弟都是透過模仿他從而建立自己的事業，看到魯師傅如何營運廠房，他們便以同樣方式營運，只是某些師傅較擅長某項技能，一個擅長燒鐵、一個擅長木工、一個擅長畫畫，沒有一個集所有技能於一身。

福：　魯師傅很照顧徒弟、伙計，會提攜後輩。我十多年前已聽說他要找接班人，找到一個，後來又離開，又再找一個，一直在尋找。很多伙計都是他的同鄉，聽說無論紅事、白事，他都替他們張羅，雖然有些後來離開了廠房，但仍保持聯繫，有些較親近，有些就因為成了同行變得較疏離，但我想他也會和其他師傅聚舊。

李：　而且他不會覺得同行如敵國，如果工作很滿，便會介紹其他廠房接手。

德：　他真的不介意同行競爭，反而喜歡百花齊放。我覺得他很喜歡傳承技藝，其實很多師傅都是從他的廠裡出來自立門戶，他又不會介意競爭，反而樂見有更多公司參與製景行業，反正工作太多做不完，大家可以一起分擔工作。有時他太忙做不了，會介紹其他廠房給你，或是直接聯絡其他廠房請求幫忙。

福：　另外一個原因，是魯師傅很照顧他們，知道某些師傅不容易接到工作，也知道自己的強項，他的人脈、手藝或是廠房施工程序的處理是別人拿不走的。他其實把自己當作是行業的龍頭，事實上也的確如是。

李：　其實他從來都當自己是大俠。他有古代人的思想，時常以「大俠」的形式出現。他也會做一些名牌的商業製作，他會傻到與你分享報價單的內容、價錢如何、設計圖如何，我說他應該起碼多收十倍價錢。但他不會因為是大牌子，便坐地起價，賺取暴利。

福：　我覺得他自有計算，看重長遠合作關係，海港城海運大廈長期請他製景，以我所知，他最初都是以很合理的價錢承接工作，相比其他公司報價便宜得多。而且他為人不貪心，覺得足夠便好了。

德：　魯師傅為人真的很好，記得有次他告訴我，那個誰沒有甚麼生意，提議我找他幫忙，讓他多賺點錢。

潘： 訪問期間，大家都會談論魯師傅離開後的將來。那麼你們無論在工作經驗或教學方面，對於十年、二十年後的香港劇場在舞台技術、設計方面會否有一些願景？你們覺得這一刻可以為將來做些甚麼？即使再沒有魯師傅，如何可以團結更多人一起推動舞台創作的發展，讓這個火花不會熄滅？

權： 這個問題頗複雜。魯師傅離開後，才發現原來以前是這樣的一回事，現在失去了又會變成怎樣。原本我也疑惑我們這樣做有沒有意義，抑或只是感性的呈現或行為而已，但當我們一起傾談，從中發現某方面的貧乏，帶動了一些議題的討論，例如西九是否需要有一個製景工場，又或者舞台製景的將來發展，我的疑惑便消除了，至少我們現在做的事情，都是為以後留下一些紀錄。

我現在主要教授佈景和服裝設計，教學內容不會因為這件事而有大改變，需要傳授的內容早已在課程裡，反而是有新的話題，告訴他們，將來需要由自己建造，而我們又能幫上甚麼忙，鼓勵更多學生留在行內。我想這不會是直接談論魯師傅的精神，而是在設計以外，教導他們價值、金錢、行業發展之間的關係，或許也可簡單介紹商業製作的情況，最重要的是告訴他們，可能性是要靠自己創造。現在可做的事情不容易，至少有機會談論的時候可以多說一點。

李： 我覺得那種感染力很重要，讀書都是學習知識和技能，但無法從中學習感染力。傳授者必需身體力行，潛移默化地感染旁人，然後他們繼續在不知不覺間傳遞能量感染他人，不能用說話講授具體內容或步驟，這是很無形的。我覺得這種傳承都是一種精神，傳承的便是那個感染力，感染的效果未必是即時發生，可能是五年後才反映出來。現在可以做些甚麼？我會說可以做好自己、做好製作，可以做得更好的，便去做得更好，盡量完善自己，完善他人。

(圖一)「布拉格劇場設計四年展2007」中香港舞台技術及設計人員協會的展示作品

(圖二)魯師傅(中)在「布拉格劇場設計四年展2007」中香港舞台技術及設計人員協會的展示作品前留影

(圖三)香港話劇團、香港中樂團、香港舞蹈團《酸酸甜甜香港地》(2003)

（從左起）甘玉儀、周錦全、張向明、廖卓良

守規則礙創意：場地技術與製景挑戰

日期：二〇二一年四月二十四日

時間：下午四時至六時

地點：Pacific Lighting辦公室

訪問：朱琼愛（朱）、陳國慧（陳）、潘詩韻（潘）

分享：廖卓良（良）、張向明*（明）、周錦全（錦）、甘玉儀（儀）
（按發言序）

整理：錢安男、符嘉晉

*張向明先生於本書出版前辭世，我們感謝他的慷慨分享

朱：　大家都是很資深的業內人士，誰最早和魯師傅合作？

良：　在一九八三年大約六、七月，我剛加入「城市當代舞蹈團」（CCDC）沒多久，那時魯師傅很有誠意，抱著他的女兒，來到CCDC的會址「天虹之家」六樓的舞台技術部辦公室，見當時我的上司Tommy Wong（王志強）。他說自己是畫家，想投身舞台佈景製作，問我們有沒有甚麼項目可以找他合作，便從那時候開始認識。

明：　在八十年代，我在「中英劇團」（中英）做一個小ASM。那時候中英在皇后街有一間辦公室和排練室，有一天我在製作道具時，魯師傅和阿二（李紅寶）突然像《英雄本色》一樣衝進我們的辦公室、遞上名片說：「我在火炭那頭從事舞台佈景製作。我現在正為黃錦江製作一台佈景，如果有需要就來幫你們的忙。」我們有一個製作，劇名應該是《生日派對》，就是黃錦江負責製作那台佈景，找來了魯師傅幫忙。

錦：　最初接觸魯師傅或舞台佈景製作，相信是一九七七年，我在香港藝術中心（藝術中心）從事劇院的舞台製作的時候。那是「開荒」的年代，舞台佈景製作方面沒甚麼系統性，而魯師傅的年代還未出現。我比較有印象的，是魯師傅開始接觸多了香港藝術節（藝術節）的節目，就開始有比較認真的、我們熟悉的舞台製作，也開始有場地管理或場地技術、台燈聲。到了香港演藝學院（HKAPA）成立的時候，早期牽涉的都是藝術節的節目，直至後期節目多了，有商業元素、還有規模比較大一些的戲劇演出，魯師傅也有參與製作。

早期HKAPA以自己的製作為主，因為政府政策要求而開放給外來的使用者租用——當時是一九八五至八七年，連香港文化中心（文化中心）都還未啟用——HKAPA便有一個「Venue Management」（場地管理）的需要。而藝術中心就接下使命，將場地技術團隊擴充到HKAPA。因為我們成立的場地管理團隊比較有彈性，如果由政府在HKAPA之下開設職位，所需的程序會很多，所以兩個機構與政府協調出這種合作關係。當時藝術中心的身分是一個

「contractor」，即藝術中心向HKAPA提供服務。大家有種相互關係，藝術中心工作也因當時的情況有局限，這樣的合作能夠將其團隊擴充。

比較有印象的是由春天舞台製作有限公司製作、鄧樹榮導演的《上海之夜》(圖一)、英皇娛樂集團（英皇）的《煙雨紅船》等製作。在這種商業化的環境，魯師傅可以在設計師與舞台佈景製作之間的磨合、藝術成分的方面溝通得比較好一些。我的印象中，應該還有其他舞台製作公司的，可以製作一些比較小型的佈景，但無法做到HKAPA歌劇院的規模。剛才說的《煙雨紅船》，一定要有一個有份量的製作團隊。

明： 七、八十年代時，演出佈景十分簡陋，當要製作粵劇佈景時就會找陳廣，陳廣手下有一群員工，強哥（慶強）也會幫忙製作佈景。他們把演出完畢的佈景拆下木方、鐵釘——當時沒有使用螺絲，是用鐵鎚、鐵釘來釘上。用木方砌成的一個平台會「萬箭穿心」(編按：因不斷重用木板，所以平台上有很多舊釘子造成的釘孔)。曾經試過，有演員需要走上一道佈景樓梯，把一部電視機搬到二樓。當進行技術綵排時，演員一踏，那道樓梯就穿了，可想而知當時的製作是多麼的簡陋。第一，預算不夠；第二，製作佈景的人員把舊的東西重造再重造，所以很容易出狀況。

儀： 我在一九八七年加入「灣仔劇團」，第一個製作叫《應有此報》，在藝術中心壽臣劇院上演，我擔任「light-cue lady」(燈光提示)。那時候灣仔劇團沒有設DSM的崗位，到了很後期才沿用現在HKAPA的模式，所以以前的演出主要由SM「cue flys」(提示吊景上落)、轉景，有位「light-cue lady」坐在「lighting control room」(燈光控制室)，指示同事「出cue」(執行提示)，另外還有一位「sound-cue lady」(音響提示)。因為我擔任「light-cue lady」，與魯師傅接觸不多，但我很記得何偉龍多年來都在說，說魯師傅的畫功十分厲害。有一次在搭景時，他問可否把佈景裡的廁所稍為移向台左，魯師傅的回覆是「不能動，因為是畫出來的」。他常常用這個例子來說明魯師傅的美工是多麼的好。

儀：　直至一九八九年，我為灣仔劇團，也是我人生第一個擔任SM的演出就是《聊齋新誌》，那時候何先生（何偉龍）找我，和佈景設計余振球一起與魯師傅傾談佈景，這樣我和魯師傅就正式開始接觸。

陳：　請Virginia（甘玉儀）補充一下，還記得當時的佈景製作有沒有甚麼問題或是有趣的地方嗎？

儀：　《聊齋新誌》的佈景相對簡單，因為只有一道佈景，沒有大的轉景，台前放置一塊「gauze」就當作是另一場景。佈景中需要用上兩幅畫，有一幅是孫潛老師學堂裡的山水畫，余振球說：「魯師傅，你來想吧！」之後我到現場就看到一幅很美的、由魯師傅親自畫的畫。第二幅，是一道三截屏風，余振球也是說：「魯師傅，你來想吧！」這部戲是說這位孫老師要避開東廠，到深山裡頭開設一所學院，收了一班學生，而深山裡有四隻狐仙，已煉成為美女。我猜魯師傅聽見我們談及這個故事，結果搬來的那道屏風，畫有四位古裝美人（圖二）。其實有點愕然，一位正直的老師的屏風上不可能有美女，但沒辦法，做好了也就照用。相隔一兩年後重演，那個屏風就再沒有這四位美女了。

明：　我也有看《聊齋新誌》，雖說只有一道佈景，但結構很複雜，有大堂，上面還有一個露台、房間，還有一個平台，我很記得，狐仙在那個平台上……

儀：　飄進來。

明：　在「upstage」那裡用人力「track」，效果很好。

儀：　其中一位狐仙會飄進來，見她心儀的那位書生，當然我們沒有預算使用「飛人」的技術。最後就讓演員站在一個很高的平台上，我們在下面用人手推。因為安全考量，平台本身一定有欄桿，演員不能自己開門，而欄桿底下有人，等到她「埋車」（趨近），就有人在下面降下欄桿，讓她進來，再升回去。我很記得這個「cue」，因為我們在牛池灣文娛中心劇院演出，是在台左最「downstage」的位置「cue show」，這輛「車」（編按：上述可移動的平台）在台左最

「upstage」，而在台上同一時間有很多事情發生，我看不見那輛「車」的情況，那個年代也沒有無線耳機，我怎樣給「cue」？就是何先生站在「upstage」的「wing」上，當我看見他亮起打火機，就是到「cue」了。所以我很記得。

陳：　你們第一次和魯師傅合作時，是否已經覺得在專業上與其他製景公司相差很遠？

明：　當時魯師傅仍在摸索階段，做出來的佈景手工很好，但他還未太習慣舞台上要搬景、佈景很重之類的問題。那時大家還未懂得遷就對方，要怎樣製作堅固料件，同時又容易搬運，他一直在進步、改進。

陳：　剛才大佬明（張向明）提及，魯師傅當時可能還在摸索階段，同時其他藝團開始進入專業化階段，各位可否補充一下大家一起探索的過程是如何的？製景的發展是如何朝著一個理想的方向而行？

良：　魯師傅最初加入成為佈景製作，真的是在摸索。他由「吊鐵線」開始，到「吊威吔」(wire)、鐵鏈，到最後甚麼機器都有，起碼經過了十多年時間逐漸進步。曹誠淵有一個舞作要在壽臣劇院內吊起一個很大、很圓的月亮，魯師傅造好了那個月亮，但沒有用一個實體的框架來支撐著。當編舞在技術綵排時看見，就認為不妥當，覺得那個月亮皺得很。翌日魯師傅就回到火炭工場，那時候他租了一個車房的一半地方，我們在地上研究如何做，加上框架後，讓月亮變挺。最初由打釘，到用釘槍，經過一段時間的摸索才有進步。

錦：　那年代有很多英語劇團，甚至是中英，全都由外國設計師把關。在這情況之下，水準要求提高了，其實是一個相互關係。設計有此要求，製作人及佈景製作便要配合，場地上亦要配合最新的標準，尤其是我們開始懂得參考「working practice」(工作準則)⋯⋯這種關係可以協助行業有個實質的發展。

良：　很簡單的一個煙霧效果——點香，真的是點香，後來用煙粉，再後來用煙機。

儀：　用箱子裝起來，真的點起一把香，然後⋯⋯

明：　打開箱子。

良：　然後用風扇吹。

陳：　甚麼年代？

良：　用煙粉是一九八〇年以後的事。

儀：　一九八八年我用煙粉。

良：　也有用乾冰。最初不懂，只懂買乾冰，又不懂得燒熱水慢慢釋放。

錦：　後來藝術節節目多了，本地製作看到別人有新特效……不是說偷，是學習別人的優點、互相學習。當時的預算不容許購買這麼多現成的製作，所以就用土炮方法，甚至用上內地的製作方法。外隊不只是外國藝團，內地藝團來的時候也有舞台美學指導上的效果，中、外、本地幾方面一同交流、互相學習。

陳：　剛才談及到藝術節的外來演出帶來的影響。魯師傅與外隊溝通可能需要比較長的時間，而製景技術上也與外隊有一些距離。即使當時香港的技術還未達到外國的標準，魯師傅是否也曾克服了一些重大的挑戰或困難，連外隊也讚好、佩服的？

錦：　早期藝術節聘請了外籍TD做統籌，有些佈景是「freight in」（從外地運來）的，有些則因為製作成本等因素沒有辦法「freight in」，那麼就只取設計圖，由香港團隊製作，這些工作早期都落在魯師傅的身上。回答你的問題，藝術節的TD如何拿著外國的「drawings」（設計圖），但又由本地執行呢？我沒有參與製作，但早期以場館的角度來看，（佈景製作）是比較被動的。

早期魯師傅與外國藝術家的合作，通常都與藝術中心有很大關係，藝術中心當時除了技術團隊，一九七七年也聘用了英國的TD，Michael Ouwait。當時和現在一樣，技術部門屬於製作組。來自香港大學的Fred Wong和另一位同事

Amy Ho拿著圖，幫魯師傅翻譯溝通、執行。這很關鍵，他們在語言溝通方面沒有問題，但是也要有舞台經驗才行。早期的舞台發燒友當中Fred是唸戲劇的，Amy也在外國攻讀舞台或戲劇，還有後期的Diana Pao（鮑皓昭），這些有舞台經驗的人加上阿良(廖卓良)、大佬明他們，才能開始與舞台製作溝通，開始有自己的設計圖，一路發展下來。

明： 當時中英聘請了一位駐團藝術家何應豐，他在美國唸完書回來。我覺得他為魯師傅的製作提供了很多靈感。開始的時候我們製作普通的佈景板，都是用木條，一條兩條，沒有規則。何應豐對魯師傅說：「我們應該加一塊一分二五的板，做一個角位，然後固定它，讓木條不會歪來歪去。」起碼在這方面已有進步，到後來乾脆不用木條，用鐵燒焊，整塊佈景板很堅硬。這是個微小的進步。魯師傅曾說何應豐是一位天馬行空的設計師……

錦： 他的設計圖不是「technical drawings」（施工圖），是「artistic drawings」（藝術圖）。

明： 所以是魯師傅才能實現、昇華他的設計。張達明寫的《說書人柳敬亭》，當年在香港大會堂（大會堂）劇院上演（圖三）。佈景是古代風格的屋頂、簷篷，當時整個簷篷凸出來至觀眾席，超過了防火閘，場地要求我們噴上防火劑，我們便約防火工程公司來噴。魯師傅剛剛造完這台佈景，入台時大家都爭取時間，約了他們十時來，結果十二時多才到達，魯師傅當然不等他們，繼續搭建。他們來到時，跟魯師傅他們說要噴防火劑，要將佈景拆下，當時有一個製景師傅叫「小北京」……那時不是用電鑽，用釘子和鐵錘，他拿著鐵錘「呯！」的一聲：「為甚麼要阻礙我們收工？」當然不是說廣東話，是不純正的廣東話，「信不信我用鐵錘敲你！」我站在那裡，魯師傅嚷：「張向明呀！你知道工人多少工錢嗎？你這樣阻礙我們，我要給他們多少工錢呢？」當時我們給魯師傅製作一台佈景的錢也不多，到最後還是要拆下來，噴防火劑，再裝回去。從這件事看到，如果大家不配合的話，就會事事不順。

陳： 其他訪問也談及到，當大家預算不足時，魯師傅總是說由他來承擔，因為他喜歡舞台，希望能成就大家的心願。崗位上，當然魯師傅很有承擔，同時亦反映了一些問題：為何要由一家製作公司來承擔我們行業生態裡解決不了的事情？大家覺得有甚麼部分欠缺了而令魯師傅要這樣子做……我們很欣賞他的貢獻，但聽起來，其實是我們需要爭取更多，那魯師傅就不用這麼辛苦了。所以也想聽聽這些故事，看看背後我們欠缺的、空白的是甚麼。

錦： 我嘗試用我的經驗分析一下，通常在製作預算上，台燈聲，尤其是佈景上，怎麼說也是很不足夠的。場地團隊很少參與製作，好些年前，我們整隊人參與了一個由鄧麗君文教基金會舉辦的紀念鄧麗君舞台劇《但願人長久——鄧麗君傳奇音樂劇》，在HKAPA歌劇院上演，也是魯師傅製作佈景。當時阿長（林禮長）是PM，場地技術、燈光音響和舞台製作人員合為一個團隊。

舞台製作有很多細節，當時我和阿長掌管製作和技術方面的預算，我們與魯師傅商議時，整個形勢不是一個慈善製作，無論如何都是一個商業製作，我們的原則是不能讓他虧本。設計師亦根據導演和編劇的想法一直改變設計，所以由設計到製作佈景，預算一直在改變，到了真正製作，就有一個落差。眾所周知，從生意的角度來說魯師傅是無私的，為了製作，他總能符合導演及設計師的要求，即便是改設計，他也幫得上忙。我相信最終結帳的時候，他應該沒錢賺，但起碼他不用自掏腰包。我們場地人負責製作，戴上這兩頂帽子很有趣，但也不容易取得平衡；我們要守著「龍門」，既要管好那盤帳目，不能讓老闆不滿，又要滿足藝術上的要求。燈光音響器材難不倒我們，但在舞台上，設計師和導演更動劇情，改動佈景，影響了成本，令我體會很深。

明： 我想補充一點，魯師傅曾經向我投訴這個製作，為甚麼呢？因為辛苦地做好的、裝滿了兩大輛貨車的佈景，沒有用過卻丟掉了——魯師傅是多麼的傷心。

陳： 因為甚麼原因丟掉？

明：　太多了，根本放不下。開始時的設計，導演要修改，做好的仍然放在這裡，修改後新做的又來了，放著放著，都塞滿了「rear stage」、「side stage」，根本放不下了，結果丟掉了兩輛貨車的佈景。你說，魯師傅是不是很傷心？

陳：　這讓我想起另一個問題。我們在之前的訪問中也有提及，為甚麼香港沒有一個工場，或是一個「workshop」（工作室），可以配合製作的進行？如果有的話，就不會出現剛才你所說的情況，因為有些東西可能早期已經解決了。

明：　HKAPA的製作是由他們自己的工場、自己的木匠來造。這講求成本，香港最貴的是地方、人工，怎可能有一個與劇場一比一大小的地方來製景？

錦：　佈景製作工場的夢，其實落在西九文化區（西九）身上。早期我有參與戲曲中心的設計，我們希望裡面一定要有工場，現在其實是有空間，但不肯定它有沒有包括到一個工場。最低限度在劇場附設一個繪景和「carpentry」（木工室）的空間，才能幫得上忙。等於HKAPA，它的繪景間和「carpentry」不會對外開放，純粹是教學用途，設備上有這種設施，就能幫助製作生存。大家都知道因為種種原因而將工場設於內地，像最近這兩年（因為疫情）就行不通，怎麼辦呢？如果在本地有這種空間，工作量也不足以養活工場，所以當日我說西九的工場夢，我希望現在的空間能夠配合、能夠開放，幫助舞台製作。

其實文化中心是有一個工場的，但比較小，不夠用。在文化中心演出是因利成便，這個一條龍的概念是有的，但現在的製作為何不能使用它，這我就不知道了。如在劇場的空間、基建上設有這些設備，我覺得就要運用它。西九這個夢，我覺得是有空間的。但是要如何落實它？正在興建的東九文化中心（東九），我不知道有沒有工場的空間，無論建造的劇場、觀眾席有多麼的宏偉，但對本地製作幫不上忙，都只是白費氣力。

明：　我一九九八年取得亞洲文化協會的資助去紐約的大都會歌劇院（Metropolitan Opera House）交流。那裡的整台佈景可以降下去劇場底部，移往「carpentry」，換了整個佈景再升上來。而且場地有灑水系統，可以在觀眾進場時製作霧氣。唱歌劇的很重視聲音，所以他們會保護他們的演唱者。人家在九十年代已經有了，現在已經是二千年代了，我們香港如何？

儀：　這是實務的東西。我覺得現在香港的劇場製作出來的不是實務的東西。一直以來都聽聞很多劇場、大會堂裝修，看見成果後你會問：「裝修了些甚麼？」例如大會堂，那時候說不拆卸，要裝修。裝修完畢後我去看看，裝修了甚麼？是大堂，或是觀眾席，就這樣，劇場裡的所有東西一點都沒有更改，甚麼都沒有，可能連清潔都沒有做。有件事我一定要說，HKAPA很乾淨。

錦：　我不滿足於此。

儀：　西九自由空間的基礎設施，如台、燈、聲，是由我的公司和一所英國公司聯合協助建設。很多建築師都不認識劇場，「contractor」也不認識，「main contractor」更不認識。所以我們帶他們參觀不同的劇場，包括HKAPA的劇院，介紹給他們認識何謂劇場。他們當中有建築師、「Structural Engineer」（結構工程師）、「M&E consultant」（機電工程顧問）、「contractor」，我們真的由「天」至「地」甚麼都看過。我最有印象的是在位於地下的「dimmer room」（燈光調光室），他們甚麼都看、甚麼都摸，居然有一個人跟我說：「這裡怎會這麼乾淨？」連槽頂——要用手摸才摸得到，也很乾淨。阿遜（許禮遜）告訴我：「每一年我們做維修時，都會做清潔。」雖然一年只做一次，但我從未見過一個劇場可以連這些地方都沒有塵埃，這麼乾淨。我覺得你應該引以為傲。其實這很重要，而且你有這個預算去做這事，十分難得。

錦： 如果你是說「dimmer room」的清潔工作，我們一般不會用濕布抹帶電的部分。這是對專業的尊重。細節上，我希望場地人員和製作人員都能夠有這個基本的態度，自己動手也好，找人幫忙也好。談到舞台上的清潔，我入行的時候，我所有技術部門的上司對這些細節——即是「control room」（控制室），甚至舞台上的清潔、走線貼上牛皮膠——都很有要求。所以，我希望我們能夠發揚、發揮出這種態度，尤其是HKAPA的畢業生。說回剛才大佬明提及的，我們不要只看外國的月亮，也可以看看內地劇場的發展。

內地劇場的設備上，前、後都能滿足器材上的需要，他們有地方、有錢，香港沒有地方，又不願意投放資源，我們就糟了。內地這幾年，尤其是北京奧運後，大家知道不能再局限於技術性，所以進步得很厲害。我們與內地的技術人員放在一起，本人感到慚愧，他們進步了很多。

說回香港佈景製作的空間，待疫情過後通關了，製作上的形式，除了技術，未必全部依靠實景來配合將來的製作。再談下去就是人才的問題，現在有多少青年人仍然願意拿著鐵鎚敲敲敲，甚至燒焊燒鐵，有些HKAPA學生及職員屬於仍然很堅持、很固執的少數，即使這樣，整個行業又不是很蓬勃，所以魯師傅以及幾家製作公司聘請的一群員工，大家應該要互相配合、幫助他們。營運這門生意不會發達，是幫助大家這個行業，這是我的看法，魯師傅等於是過去式，接下來我們要如何面對呢？這真的需要大家，尤其年輕的一代，要用心，視野也要超越香港、跳出本地的框框才行。

明： 我覺得這又是資源問題，由我初入行到現在仍是一個問題，我們這個舞台界別能否養活這個舞台呢？有沒有這麼多觀眾呢？在我剛入行之時，中英已進行學校巡迴演出，想發掘一些學生觀眾，擴大觀眾層面，如果觀眾層面不大，就不能養活劇團。現在百分之九十九點九的劇團都是靠政府資助，如果沒有政府資助便不能生存，這是主要癥結所在。所謂商業演出，只是十年才辦一個，像黃子華領銜的那種演出，一推出票房就爆滿⋯⋯有明星的演出當然爆滿，但你看看有多少個黃子華。

儀： 話說回來，你剛才提到的商業製作是因為甚麼原因而開始？即是以前一直是陳廣做粵劇佈景，是「大戲」水準。

錦： 因為水準開始提高。

儀： 陸續可以做到這些的轉折點是？

錦： 如果我沒說錯的話，是藝術中心和藝術節。當藝術節的辦公室搬到藝術中心裡時。

良： 我記得藝術節當時有一個技術顧問，後台人員戲稱他叫「大衞讀書」，David Read。

錦： 當時藝術中心成立了技術團隊，目的不只是場地支援，而是有製作的元素。藝術中心當時的中、西演出和音樂節目都有「programme manager」（節目經理），總共三個範疇。

儀： 意思是指找節目回來？

錦： 是，他們屬下的團隊還有茹國烈、戲劇部門那群人，其實是一個「programme body」（節目部門），他們會製作節目，而技術部門由製作團隊支援。當時藝術節的節目把整體水平提升了，要求視覺呈現的標準要達到海外的要求。我並非貶低當時製作上面有所不足，但我也不知道不足的原因。大家會參考，為何外國的佈景製作這麼令人嘆為觀止呢？為何外國會這樣做呢？加上有魯師傅他們的美工和木工的水準，本地的製作便開始向外偷師。

在那個年代，只有壽臣劇院會恆常地有數個外語劇團演出，有英國的「Garrison Players」，還有美國的「American Community Theater」。早期這些劇團都在大會堂劇院演出，當藝術中心出現後，就變了很多時候會在藝術中心演出。在早期，我們對此感到不太高興，藝術中心好像成了外國人的俱樂部。

加上我們又不懂得「cue show」，這都要多得Lena（李瑩），她當時幫袁立勳的劇團工作，開始知道甚麼是「cue show」——有個人正正式式、戴著耳機讀「prompt book」（提示本），一直配合著演出。到佈景方面，硬件上有海外、內地和香港本地傳統製作，直到魯師傅，很多人都幫他、叫他自己開公司，再找他製作佈景。魯師傅有水準，業界又對他有信心，但他也不能夠「膽粗粗」（大膽）地開始。除了是興趣之外，他亦看到外國團隊的製作水準。加上你所說的，何應豐是一個催化劑，他有要求，會思考如何把天馬行空的東西放到舞台上，可以有系統、有不同角度、有測量過的。這都是一個過程。

朱： 基本上，魯師傅入行和香港舞台生態開始起飛差不多是同一時期，就像大家一起成長。從魯師傅的發展，可以看到本地舞台表演藝術在演出和美術方面上的進程，以及相互之間的影響。如KC（周錦全）主要在非康樂及文化事務署（康文署）場地工作，如藝術中心和HKAPA。眾所周知，康文署場地有很多限制，如牛池灣文娛中心，你們覺得場地的空間設計對你們的工作有甚麼影響？對舞台佈景有甚麼限制？或者有哪些場地是比較好的？在場地限制下，魯師傅有甚麼可以幫到你們？

良： 這個主要牽涉到表演場地的建築設計方面。例如卸貨區，它的大小可否泊到一個巨型的貨櫃，這個都是要考慮的。香港很多場地都有其好與壞，例如有沒有泊車位置，那會影響你用多少時間「落貨」（卸下佈景）。每個場地都不同，HKAPA就有卸貨區，一進去左轉就可以到達歌劇院，在前面經過工場又可以去到劇院，是順暢的。又例如文化中心大劇院，那兩條「石屎柱」（水泥柱）的高度需要再高一點才可以停泊一個貨櫃；大會堂劇院有一個卸貨區，但音樂廳沒有，需要在街外泊車再搬運貨。這就是每個場地的不同，都是劇場設計中不可忽略的地方。剛才KC說到西九的夢工場，我不知道現在還有沒有這個場地，自由空間就肯定沒有的了，其他場地會有嗎？

錦： 西九還在建築中的演藝綜合劇場，主要用作舞蹈用途。我沒有那個場地的設計圖，但我相信他們的發展規劃，因為Frank Yeung（楊福全）他們都在，都是HKAPA出身的，所以在基建和工作坊的需要上，應該要盡量在劇場專業和製作空間上爭取多一點——在建築設計上應該怎樣處理佈景和木工的空間發展，得到後再去想大家可以如何互相配合。最差的是有空間但又不讓人使用，或諸多限制，那就得物無所用了。

要如何開放給所有人使用，當然需要設定使用規矩。公營機構如果有空間，應該盡量配合行業上的需要而發展，而這個設施應優先給予內部的製作使用，這是無可厚非的。就如早期HKAPA的場地不會開放給公眾人士使用——歌劇院一年最多只有兩個內部製作，而其他製作因為製作成本和規模，根本不能夠利用歌劇院，那其他時間就應該開放給公眾使用。這是一個商業關係，開放場地給公眾，就可以有收入來營運。這個機緣亦孕育了我們這群場地管理的技術人員，而我們的場地技術團隊吸納了很多HKAPA的畢業生。所以好好利用這一個空間，會有一個很好的磨合作用。我們現在只是運作上的執行，但願景是要看「上面」那群人，我很擔心他們沒有願景。

良： 其實民政事務局（編按：於二〇二二年重組，分成民政及青年事務局和文化體育及旅遊局）和香港藝術發展局（藝發局）真的要聽聽意見——怎樣在藝術或場地方面，滿足到香港的藝術發展——雖然我們只是技術人員，但他們真的要聽一下。

明： 提到場地方面，我們曾到西九自由空間演出，因為附近是公園，很多人走來走去，所以入台需要由保安踩著單車來帶我們的貨車去卸貨，還要每次只可以有一輛貨車隨行，如果有四至五輛貨車，一個上午都未必可以完成。還有，貨車不能夠駛越保安的單車，否則場地會把你撥入黑名單，這件事很荒謬。另外，葵青劇院是較為近一點的場地，但一個四十呎的貨櫃是無法進到卸貨區，一定要事先申請。

儀：　你是指要到劇場內申請？

良：　因為你走入了他們的私家路。

錦：　要向路政署申請。所以如果有四十呎的貨櫃要卸貨，都會安排在通宵進行。這是現在的做法，確實理論是甚麼就不知道了。

否則，在早上做的話便要「過櫃」（編按：把佈景從貨櫃搬至貨車）了。四十呎櫃或者要從內地運景來香港也好，對製作的人來說都是一個惡夢。我不明白為何現今仍可以發生這樣的事，是沒有人和他們做協調的。

明：　在開會的時候，沒有人告知我們。到達的時候，司機打電話來說貨車進不到劇院，怎麼辦？那只能偷偷做。還有，葵青劇院外面有一個大空地，我曾經有一個演出是在那個空地上、在一輛貨車上上演，場地需要我們鋪設地板後才可把車駛進去，原因是害怕破壞了劇場正門的地磚。你說是否很荒謬。

良：　政府的東西是會進步的。

明：　這叫進步嗎？

良：　我分享一個進步例子，以前搭一條十級的樓梯都不需加上欄桿，現在因為考慮到安全問題，只有三四級都要用欄桿。

錦：　一講安全的話，就所有事情都不用做了。所以簡單來說，沒得用就是最安全，不用就最安全。

儀： 說回場地，灣仔劇團有很多年都在牛池灣文娛中心演出，對我來說，這一定是最差的場地。除了那個場地需要用吊貨的方式入台之外，最差的是因為場地在街市內。我記得一九八八年左右，灣仔劇團開始在那裡演出。運佈景的那個位置，其實旁邊已經是茶餐廳（圖四）。要知道餐廳一定會放滿物品，你可以幻想當你要搬運一堆佈景進去時，需要用到一個頗大的空間，那就一定會和那些街市商販和茶餐廳伙計吵架。我聞說第一年他們真的差點就打架了。之後我很多年都再沒有去過牛池灣文娛中心，我以為已經沒有了「吊雞」（編按：即指起重機）（圖五），但原來仍然有人在使用，但現在需要有牌照才可操作。在我印象中，後期所有魯師傅製作的佈景，如果是在牛池灣文娛中心演出的，他都會選擇用「貨韆」（載貨升降機）運佈景。

明： 但是又要拖行一段路才到達貨韆。

儀： 我做台多年，都不知道那裡有貨韆，原來貨韆又是在街市內。所以當年未知貨韆在哪時，無論是入佈景或化妝服裝物品，都一定是用客韆。魯師傅很聰明，他會問你在哪個場地演出，預先幫你想好如何分裁佈景，可以容易地搬運到劇場裡。

明： 還有，吊貨的下面那層放滿很多豬排、牛排和菜，茶餐廳又在那裡。一吊貨，那些東西就鋪滿塵了。

儀： 其實我也很多年沒有去過牛池灣文娛中心。另外，其實上環文娛中心也不見得有多好，因為那裡也是街市，只是有個大一點的貨韆，但要在商販運貨時同時運佈景，是不可能的。在我印象中，通常會等早上街市商販運好貨，我們晚點才來運佈景，否則只會又和商販吵架。

錦： 其實本地舞台製作在場地硬件的配合上……因為是由康文署管理場地，在一幢多用途建築物內，又有街市又有文娛中心，我們不是怪責他們，只希望他們在管理上可以彈性處理，幫得到我們。現在我們說的這些話，十年後你依然會重複同一番話，除非場地拆卸重建。問題是如果硬件不能即時改善，那就從人方面出發去適應和配合，像我們經常在說「user friendly」（方便易用）。若場地仍是強硬不變，已經是先天不足，後天還要加上人為因素，那這樣的話行內的大家都做不來了。大家都只是希望可以在新場館內「發個好夢」，但是只好拭目以待。

朱： 剛剛說到，我們無法改動場地的硬件，那就希望行政或管理上可以為表演藝術人員提供多一點方便，又或是正常一點的工作模式。其實是否應該考慮在現有設施上，盡量找一些方法開放給劇場人使用，讓香港可以有一個製作佈景的地方？如剛才大家提到，有培訓人才但又缺乏地方資源的時候，那這些人又哪有發展前景呢？沒有前景，他們又走了，那培訓人才其實也是沒用的，對嗎？

錦： 其實早期HKAPA有想過的，可否做到一個佈景或木工的「workshop」。每年HKAPA的製景工場日程都排得很密集，其實木工的工場空間不大，好多時候我們的製作週會同時做幾個製作，完成的東西也不是馬上搬入劇場內，所以其實收納空間有限。佈景不只是供演出使用，那些佈景是由HKAPA的同學製作，其實是課程訓練的一部分。這樣的工作間和儲存空間，開放給公眾使用的機會很微。同樣，佈景也是，我們從沒見過佈景儲存得如此密集的，大型佈景、背景板和細型硬件已放滿工作間。

曾經我們想過，學院以外的使用者在特別情況下，如在香港找不到空間及時間，可以在HKAPA學期休息期間，如聖誕假期或暑假期間使用學校的設備，這是偶一為之的事。但近幾年HKAPA多了學生，空間已經不夠用，我看不到HKAPA在這個情況下還可以提供到彈性的處理。其實HKAPA大部分佈景製作的畢業生都投身了電影界、香港迪士尼樂園（迪士尼）或香港海洋公園（海洋公園）。我不知道海洋公園現在的營運模式，但迪士尼給予了HKAPA同學一個製景夢想。運作上是否暢順，可以完全吸納人才？現在最新的情況是怎樣呢？畢業生在那個空間是否可以完全發揮所長？

良： 其實文化中心七樓的工場不夠大，和如何管理劇場製作出入台是個很大的學問。夠時間又「落閘」，「開閘」又會阻礙別人排練或演出，真的是一件很困難的事。

錦： 因為那個空間受制於康文署的運作和日程，所以很難配合所有使用者。我們不是負面去批評，如果你是他們的一分子，你會明白他們的難處在哪兒，因為在制度上互相掣肘。

明： 我不太同意。我們是使用者，而硬件又已存在，是否應該為我們著想多一點呢？並非只為自己的行政方便就落閘。我覺得應該是這樣的。

錦： 問題是那些官員坐在辦公室內，又如何可以齊心去為一眾使用者著想，去做一個順從民意的政策呢？現在就是做不到。

良： 其實並不只是為了使用者，是為了香港。如果民政事務局或藝發局高層有考慮到香港，是否可以自己建立一間本地製作工場？就算是外判營運也好，他們有很多錢可以去做的。

儀： 即是一個「製景科學園」。

良： 其實真的可以這樣去發夢的，但現在連「起樓」也處理不到，也不夠地方。

錦： 當初西九藝術公園應該要建立一個木工的工場。

良： 但西九有自己的管理層。

錦： 是的。怎樣也好，總結到今時今日，由魯師傅牽頭並承傳了兩件事，就是實體空間和人才，但我不認為現在還有這個延續，至少我看不到，我可以這樣說嗎？

明： 我反而覺得劇團和劇壇是否要自行聚在一起。現在每個劇團都在爭奪同一塊「餅」(編按：資助額度)，大家就有利益衝突，根本不齊心。如果大家有願景、同心去做一件事，應該可以和政府爭取的。

錦： 政府的資助除了給我們這些演藝公司人才的薪資外，大家都是很辛苦才有一餐「安樂茶飯」，其實政府有些資源可以用在基建上，例如活化那些舊貨倉或未重建的工廠大廈的時候，可以在某層建立木工工場給團體免費使用，因為如果又要付租金、人工和設備費用，劇團又是負擔不來。如果現在還有這些未發展的空間，我覺得政府或相關部門要想想。我們可以透過甚麼團隊去爭取？九大藝團嗎？

明： 九大藝團不會幫你去爭取的，他們已經坐享其成，有這麼多錢還爭取甚麼。

錦： 他們有錢也沒用，就算有資助，也要爭取空間。

明： 他們不需要，他們有錢，會直接付錢去造個佈景。他們不用爭取甚麼，他們是既得利益者。魯師傅生前曾和我提到，十年前做一個佈景要超過一百萬才算得上是大佈景製作，現在卻是三十萬就已經算是大佈景。

良： 是真的，一九九六年《播音情人》做了個差不多二百萬的佈景。

明： 還有，現在人工和物料費貴，預算反而還減少了。那是否應該問政府多拿點錢，而不是由原本那份資助中再抽出來。

良： 我又講講關於場地不足的事。自由空間的服裝間好像總共只有四個廁格，包括男女和服裝間；荃灣大會堂位於二樓的服裝間沒有廁所，如果演員要上廁所就要走出來，經過觀眾席才能到，稍為胖一點都走不過去。

明： 你提到這個，我記得二十多三十年前，荃灣大會堂文娛廳沒有廁所，有演員要用汽水樽裝他的尿液。

潘： 在聽你們的分享時有很多感觸。我們是後輩，你們在座多位都見證著香港舞台的發展，相信剛才你們說到的問題，其實很多業界朋友都知道，他們也是每天都在罵，也是每天都遇到如牛池灣文娛中心那些情況。其實我以前也有聽聞過，但直至現在也沒有改善過，也處理不到。

潘： 我想問一個問題，剛才大家提到的都是在硬件上的情況。我很同意大佬明說的，場地在硬件上理應配合我們這些使用者和配合香港舞台劇場的美學發展。借用你們的經驗和觀察，其實香港的戲劇史，由做外國翻譯劇目到現今的原創劇，很多年輕導演出道，也有不同的願景，舞台製作其實是怎樣的一回事？相信現在香港有很多人才，也有很多國際大師來港合作，我們累積了這麼多年的經驗，但這些經驗可以怎樣支援場地的硬件、技術，以及可以如何配合政策，讓香港劇場的美學可以在未來十年至二十年更上一層樓？如果可以聽到你們的經驗或意見，我想對於一眾年輕創作人來說，會有很大的得著。

錦： 其實近年報讀HKAPA佈景製作的同學人數多了，老師和同學都很有熱誠，在舞台上可以看到他們在細節或創意的執行，但怎樣可以把它發揚光大呢？佈景製作是一個技巧和思維。你不是一個單獨作業的藝術工作者，你在劇場發揮美學時，需要有製作的配合。現在我們從美學上看，不要忽略了所謂的佈景道具。魯師傅工作很仔細的，導演說要找一束禾稈草，他就真的會滿足到導演的要求去找一束禾稈草回來。在道具上，我想是要靠製作去配合的，而如何配合到就需要看製作人和資源的問題。

關於人才方面，其實大家都知道在這個夢工場裡，大家不會馬上就能豐衣足食，都是先開開心心地聚在一起做些事。尤其是我接觸過佈景製作的同學，他們在課堂後也會留下來工作到深夜，你要知道繪畫不能夠限時限刻，而HKAPA的空間都算是夠用。但在美學上，現在香港專業教育學院（IVE）都有很多美學相關的接觸，我相信那個「multi-vision」（多方面的願景）上，在電腦方面的作品發展得更快。有次我和HKAPA的校外學術檢視員及顧問委員Cathy（周倩慧）開會，她是在迪士尼做顧問的。她提到HKAPA比較著重於純粹手藝，但在電腦繪圖上的美學不足。HKAPA未必能夠提升到這件事，但IVE有很多電影和其他媒介的教學，當有了這麼多訓練的時候，怎樣可以幫到行業的美學？仍然沿用現在的方法，還是跳出傳統模式呢？這除了看本地之外，還需要看全球性的發展。

在香港這個城市，學生和教育者都要知道世界發展的方向。感覺局限於三言兩語、十年八載可能都不能完全打破這個局面，那只能夠在教育或相關方面上作配合，即是適者生存。與其現在說這麼多、有多少期望，也期望了幾十年，但得到多少，大家都心知肚明了。在這個行業，我想大家把定位設得低一點。我經常說，如果你是求私利，求這個行業上的名利，在這個行業是沒有進步的。

明：　從八十年代到現在，我看到這個行業其實一直在進步，並不是故步自封的。如果想發達，就不會在這行業做了幾十年，大家都是有願景的，才會在劇場裡浸沉這麼久。我相信一直會有些新血和不同的人入行，有HKAPA的，或可能有些業餘的。

儀：　我喜歡看劇後細閱場刊，近日我發現多了很多不是由HKAPA出身的製作人員，其實對我來說這是個正面的方向。多了IVE的人，甚至是業餘的人，那些人可能曾修讀過一些證書課程，亦有些人可能修讀非劇場的學院，但他們都留在劇場行業裡發展，並且已經可以參與較為正式的演出。就如我昨天看過的兩個劇場節目，都看到了一些新的名字，我覺得這是一個好現象，因為真的不能只靠HKAPA。我看見多年來我的師弟師妹畢業，我都會覺得他們有很多的核心工作不再是創作。於我的角度來看，就算SM都是創作團隊之一，你會看到很多畢業生去做RSM、RTM、SM等諸如此類的崗位，他們已經不再主力做創作。但問題是怎樣可以留住這些人，我想這是困難的。同時，我也看到仍有一群人很有心，想繼續在劇場這行業內發展。

良：　其實說到美學，是要和將來發展的科技藝術融合在一起。東九會有兩個場地，用作給使用者嘗試新的東西，可能你有需要便會給你試用一個星期。這是在說很先進的科技藝術。那美學是怎樣用於這方面呢？

錦：　所以仍是那句，行政或管理上是需要配合所有硬件的。

明： 全世界在進步中，但場地在退步中。場地有很多嚴格掣肘，像我接駁一條電線不可用簪玉（編按：用作接駁電線的部件），要用盒。

錦： 我大膽假設，其實是諷刺的，這幾十年來孕育了很多專業舞台工作者，無論前台或後台，也包括演員，演員也是一個專業的培訓。但很可惜近年是由行政做主導，由行外人去插手參與行內事務，管制了這個行業，遇到很多不必要的事情。我確實遇到一些情況，我要和一些行外的老闆去解釋我們在做甚麼，這是一件痛苦的任務。康文署亦如是，只要是機構就會由行政主導，由行政主導就是每一件事都要穩妥，當然穩妥的時候就和創意有很大的衝突。

明： 我曾經試過在葵青劇院黑盒劇場裡工作，有一件部件要用他們的工具吊高起來再放下，場地的人要我把那些部分，逐個去秤重，看看有否超重，然後才能吊起來。

錦： 最重要我們相信自己的專業，大家要堅定一點，不要附和他們。之前大家都要集齊很多數據去證明我們的能力，我們不能夠放棄那些守則和安全性，這些是我們這行業的訓練和職業操守。不要回到以前沒有論據去支持我們的專業那般，我們這麼多年來看見和經歷的，不比一個建築師差。

我們做舞台行業的，人口比例很少，我們這個專業不會叫做註冊建築師，但我們會用我們專業的態度去工作。現在的我們很卑躬屈膝，因為我們沒有任何專業牌照，然後由有牌照的人「話事」（作主），但他們不是劇場的專業人士，至少他們沒有修讀超過四年的專業劇場課程，這就是現在遇到的困難。所有人堅守著自己的專業，但在行內，他們卻只是在旁邊看著我們這些人自己發展，我們是生是死，他們不會在意。他們只是拿著手上的守則和你說話。這樣的話，大家就可以躺平了。

潘： 外國的情況是否也一樣？

錦： 近年都有這個矛盾，但是在西區劇院（West End theatre）「Association of British Theatre Technicians」的工會制度，或是現在所有音樂劇的會員制度，一定比香港舞台技術及設計人員協會（HKATTS）的制度強大，你看他們的會員數量就知道。劇場是受到衝擊的，因為大家都想在劇場上自由創作。我們在某程度上是做得不足，所謂不足是指很容易出意外或在安全層面上遭受質疑。所以最重要的，是我們自己本身做足工夫，每件事都有真憑實據支持。自己的底子夠好，有沒有牌照或認可則是另外一回事。但是我不希望亦不容許你出一條法例，然後就一錘定音，因為劇場是一個另類的創作空間。

但我必須承認大家要有專業操守，所以我用的是「professional theatre practice」（專業劇場準則），暫時我未曾見過一個持牌的技術總監，當然他背後可以有十個不同的牌照，但暫時即使是西區劇院、United States Institute for Theatre Technology都不會有一個這樣的人，他們只是專職於某一個項目。當然這個守則是支援我們做的演出，我指的是「technical performance」（技術表現）和「technical standard」（技術標準）。現在你說本地和海外的劇場專業人士也會被最新的條例衝擊，只能夠說我們要不停進步，不斷更新。千萬不要誤會我們是故步自封，妄自菲薄，我們不是誇大自己的能力，我們只是想做到我們的工作。我想叫人去吊佈景，只要做得專業安全就足夠，你不要入台時拿著那本守則去管著，否則入台那四小時就沒有了。

儀： 不知道大家明不明白KC所說的，就如當年我在高山劇場做一些地下音樂演出，不知道為甚麼他們有一條規例，如果喇叭高度超過兩米就一定要找測量師。我只是疊放喇叭而已，並不是在搭任何更高的東西，這樣也要找測量師？我在其他劇場其實沒有聽過這個做法。

儀：　他們真的是用尺來量度，但在其他劇場是沒有的。就如剛才KC說的類似情況，有任何東西要吊起來，例如你自己帶器材去文化中心吊起部件，他們就一定要有測量師在場——一個完全不懂得舞台的人來看是否安全。其實到最後他們一定要試的，吊佈景也好，他們會說「要吊多重的東西？」你說要吊一百公斤，那他就會讓你吊一百五十公斤。這樣一個完全不懂得劇場的人去測量我們的製作，然後簽發文件。當然這已是一個很常見的現象，而行業內的技術人員都有各自熟悉的測量師，那些測量師其實都不知道你們在做甚麼，但知道你們的劇場要做那些東西。他們未必明白場地的要求，但他們知道場地要求甚麼，就會叫你做足給大家看，然後簽發認可文件。

錦：　他們遵守那個法規精神。但我又覺得不是一件絕對壞事，多一個第三方的意見也不錯，但就不要超過（舞台製作）整件事。

明：　那個預算又大了呢。

錦：　這當然的。

儀：　我曾遇過一個情況，多年前藝術節有一個在文化中心劇場上演的本地製作。那個演出造了一個很大的網架，舞蹈員要爬到網架上，場地人員堅持舞蹈員需要穿上安全繩才可爬，而舞蹈員又堅持不穿，到最後的解決方法就是找測量師來，如果你找測量師簽發文件就可以不用穿安全帶。但其實這件事與測量無關，只是場地用他這個身分去解決事情，簽發文件後就可以繼續演出。

錦：　那就是第三方的支援。因為測量師在政府法例上是認可的專業人士，而舞蹈員不是認可的專業人士，你明白嗎？

明：　場地不用承擔責任，發生甚麼事也是由測量師承擔。

錦：　所以現在這種守則是很現實的，那我們怎樣去找一個最好的解決方法，我想大家需要去探討。前幾年，HKATTS、康文署和我們非康文署，如藝術中心和HKAPA，有一個大會，由成員組成去討論這些事情，包括西九文化區管理局，當初西九成立的時候有很多條款和規則，讓大家去處理這件事。據我所知，結果就是西九找顧問設計了一本很厚的守則出來。現在你去西九工作，如果不熟讀那本守則，都頗為麻煩。

儀：　我又講講另一個故事，又是當年藝術節的節目。那是一個北京來的節目，是小說《棋王》的改編劇目，最主要是這個劇目在最後會用火燃燒佈景，那當然文化中心一定不會准許這樣做。最後結論，是在舞台前方位置有一個棋盤，就只允許你燒那個棋盤。但這個演出的佈景全部都是金屬製造的，那棋盤也是金屬造的。開會時，文化中心准許燒這個位置，但要噴上防火塗層，也要在第一行前面安設阻隔片遮擋，但原本最前的幾行已是封了、不會有人坐的。到最後好像是劇團自己帶設備過來安裝。文化中心堅持一定要噴防火塗層，那就叫工程公司來處理。工程公司來到一看佈景就說「鐵來的也要噴嗎？」最後也只好噴了。是真的會發生這些事情的。

錦：　他們要那張消防紙（編按：由消防處認可人士發出的安全證明書），就是這麼簡單。我想Virginia和大佬明也遇過很多這種情況，大家說幾天幾夜都說不完。在場館上，你會看到我們的處境，我們都很堅守，從使用者角度去處理。但我在最近兩三年都會遇到這些問題，是很難去把持的，因為這個衝擊、因為行外人抓著行內的種種事情不放，特別在近年疫情的情況下更為嚴重，我簡直是沒辦法了，真的是沒甚麼可以做，因為大眾要跟從第599章《預防及控制疾病條例》的規例，某程度上大家都不敢冒險，怕如果出事了該怎麼辦才好。大家都在這個無可奈何的情況下生存。

（圖一）春天舞台製作有限公司《上海之夜》（1997）

（圖二）灣仔劇團《聊齋新誌》（1989）畫有古裝美人的屏風

（圖三）中英劇團《說書人柳敬亭》(1993)

（圖四）牛池灣文娛中心吊貨位置

（圖五）牛池灣文娛中心起重機

（從左起）林禮長、林菁、梁觀帶

總是不太滿足：夢想有個製景工場

日期：二〇二一年四月十日

時間：下午四時至六時

地點：香港話劇團會議室

訪問：朱琼愛（朱）、陳國慧（陳）、潘詩韻（潘）

分享：林菁（菁）、林禮長（長）、梁觀帶（帶）
（按發言序）

整理：葉懿雯

朱： 你們第一次和魯師傅合作的是甚麼作品？

菁： 我真正認識魯師傅約是在一九八六年夏天。我從「香港芭蕾舞團」（港芭）辭職後、進入「香港話劇團」（話劇團）工作前，我曾在他的工場工作，他是我的老闆。那時魯師傅應該還在大生貨倉製景，後來我幫他搬進火炭黃竹洋街的華聯工業中心。

長： 我第一次接觸魯師傅應是在一九九〇年的香港藝術節（藝術節），當時我在香港演藝學院（HKAPA）工作，由劇場技術人員轉職到學校擔任APM，剛好藝術節上演《茶花女》（*La Traviata*），由著名的拉爾夫・高爾泰（Ralph Koltai）來導演。當年藝術節找了HKAPA製作這個歌劇，那時的「technical director」是來自澳洲的蘇迪基（Philip Soden），他要找香港的佈景製作公司來製作佈景。他聽說過魯氏美術製作有限公司（魯氏），我說當然好，因為當時也只有它這一間佈景公司。我應該就是在那時開始認識魯師傅。後來我離開了HKAPA，之後一直有很多製作都是找他幫忙。你說有甚麼特別，就是當時製景行業很單一，只有魯師傅一間公司。

帶： 我和魯師傅初次相識是在九十年代。我一九九〇年入讀HKAPA，讀書時當然聽說過魯師傅的名字，但沒有接觸過。我第一次和他合作處理的佈景應是「新域劇團」的《情危生命線》，由何爺（何應豐）設計佈景。佈景很簡單，是一架沿路軌行走的「wagon」，你可以把它當作是一輛火車。而因為當時沒有預算，所以要由ASM或演員用人手來推動，那麼就需預先標記每場要推動到的位置，但因為技術問題，推得不好便會很容易偏離原本路徑。我那時候讀的是舞台管理，不太懂技術的東西，因為那「wagon」時常偏離路徑，所以常常打電話給魯師傅，請問他有沒有解決辦法。解決辦法多數是增加「wagon」的重量，讓它平衡得比較好。往後當我到了「城市當代舞蹈團」（CCDC）、港芭，甚至是藝術節之後，也有跟魯師傅合作。

此外，魯師傅是繪景師出身，他除了對此很自豪以外，他也很尊重繪景師。當時港芭聘請了外國繪景師來港幫忙繪景，而通常外國設計師看到魯師傅在火炭的工場，就對他沒有信心。或者他們不喜歡他的「scenic touch」（繪景質感），便會提議聘請自己相熟的繪景師幫忙。當時那些繪景師住在工場附近的酒店，住了大約三個星期，最長達一個月。他們是從西班牙來的藝術家，不懂說英語，我也是運用翻譯器來和他們溝通，再畫圖表示。在語言不通的情況下，魯師傅也與他們一起調出大家都滿意的綠色、藍色。

朱： 請製景師按設計製作時，實際上要調校的東西多不多？有沒有一些實際例子，是需要你們和魯師傅協調設計，甚至和設計師商量設計是否可行？

帶： 我很幸運，我任職的機構都比較有錢，使我明白，在香港如果只有幾萬元預算來製作佈景，不如不做。幾萬元預算只能做到「basic colour」（基本顏色）、「basic touch」（基本質感），設計師一定不會滿意。我見過有些本土設計師，要自己親手再執修，便從早到晚塗畫改動。我很幸運，負責的製作預算比較多，可以在廠裡做好八成工作，甚至做好幾套供人選擇；如果知道在內地可能找不到某些物料時，便預先幫他們組合好英國和本地物料。

長： CCDC在我任職的年代，甚至再之前任職的「赫墾坊劇團」，都是很窮的藝團，情況正正相反。魯師傅是個藝術家，譬如設計中有盞很漂亮的水晶吊燈，但製景費比原本預算多出了幾萬元，和設計師商量後就決定不要水晶吊燈，改做其他東西。但魯師傅看完設計後，真的很喜歡那盞吊燈，說「哎呀，你不要這個佈景？這佈景很漂亮，不是很浪費嗎？」我說：「沒有預算，不要緊，已和設計師商量好了，改做其他東西。」他轉頭或翌日便說：「不如我依舊幫你做那佈景，不要浪費，算了，我不多加錢，只計算那些材料費就好了。」看到很喜歡的設計時，他會寧願自己不賺錢，甚至補貼人工，都想完成設計。

菁： 如是者，他就「蝕足」（虧本）廿年。

長：　這些故事都是真的，我以前在深圳的廠房跟他討論佈景時，聽過他說了不少次。

帶：　二〇〇四年我剛入行在藝術節工作時，當時場地仍容許你在劇場裡噴漆，魯師傅便會拿著噴壺、噴槍工作。現在當然不可以，不論是誰都會被阻止。以前的規則較寬鬆，可以坐著「genie」（升降台），從八米高噴至二米高的佈景。噴完後漂漂亮亮，但演出時沒有打燈（所以不明顯甚至看不見），也是常見的。

菁：　即是開著「work light」（工作燈）來噴，熄掉「work light」後，雖然看不到，但做得很漂亮。

帶：　有些設計師不滿意佈景的正面，覺得有問題，我們便會提議說反轉背面，重新繪畫，這也是常見的。後來，為了避免魯師傅要在現場改動，便改請他預先繪畫幾套不同感覺的畫布，讓外國設計師從中選擇，合適的那套便掛上去，當然這會相應地提高預算。因為有時外國設計師都不知道自己在畫甚麼，有些繪圖潦草、不按比例、沒有顏色，而且也常見用鉛筆畫的圖；也有一些不懂繪圖，只展示參考圖片，說出構思。

陳：　這是僅限於香港，還是於外國也常見的情況？

帶：　我只是說我和魯師傅在港芭合作時的常見情況。我也在藝術節工作過幾年，那時候我是新人，佈景都交給魯師傅的廠做。正如阿長（林禮長）所說，全港最大的廠、最大的支援，除他以外，別無他選。那些所謂的設計圖，便交由魯師傅他們去思考、去發揮。如果不懂畫圖，最好是交模型給魯師傅，例如「section」（側面模型），他們便可以把像「Lego」（樂高）般砌成的模型變成佈景。

佈景運到香港後，因為導演看到後不滿意，而要入台後再改動，或最後不要的，也很常見。如果是重演時不要，通常是不滿意那些「touch」。這不關魯師傅的事，始終有些物料在內地沒有供應，而導演有時堅持要用某些英國物料，但要處理那些物料的進出口程序和稅務很困難，在本地又只能找到相類的物料，導演如果不合意，也沒有辦法。這些情況就會使得佈景有些改動，魯師傅為此已盡力幫忙，但沒有物料就是沒有物料。

朱：　剛才提到魯師傅遷廠到內地，是因為地方比較大。而剛才Roy（梁觀帶）說，佈景需要分開不同組件來製作，這個製作方法和製景場地大小有沒有關係？如果場地更大，是否可以做更大型的佈景，或是不用拆開成不同組件，改為製作完整的一件呢？

長：　絕對有關係，所以現在有很多公司都搬到內地，香港哪裡還有製景公司？一間幾萬呎的廠房，可以把佈景攤開放在地上來製作；樓高六、七米，佈景繪畫完成後便可掛起來看。以前那些工場，例如火炭的工場只有四百呎左右，要逐塊拼合，然後在腦海中想像整個佈景是否可行，整件事情當然相差得很遠。從生意經營角度來說，香港哪有這樣大的地方？內地地方大、人工又便宜，又可以製作大型佈景，所以環境條件上有很大的優勢。又例如在內地和在香港請一個工人，價錢相差很遠。

帶：　我依稀記得，第一次在廠內佈景中綵排的演出，是《煙雨紅船》。這不是我負責的製作，我當時正負責一個小型製作，剛好路過，看到在台上有一艘高十多米的船，還聽說有明星來綵排，突然醒覺原來可以這樣做。這樣的安排，在以前是不可能發生的，一定要入台後才在現場搭建調整。綵排時沒有佈景，表演者只能靠想像。那次讓我覺得，原來地方有這樣大的話，就可以搭建這樣大的佈景並在佈景中綵排，所以在腦海中留下了深刻印象。

長：　魯師傅的廠房很大，他分了四分一的室內地方讓我們在佈景裡綵排，大約有葵青劇院演藝廳連「rear stage」的面積。當時CCDC有幾個製作在那裡「on-set rehearsal」（帶景綵排），在那邊住了一星期的酒店，天天排練。最大型的一次，應是二〇〇一年由崔健創作音樂的舞劇《給你一點顏色》。當時CCDC和「北京現代舞團」合作，兩個團合共28人一起演出。綵排要合成佈景和舞者，需要很大的場地；還有一隊樂隊現場演奏，也需要連佈景綵排。魯師傅便幫忙在廠房裡搭建，例如舞者演出時要攀爬的牆（圖一）。

菁：　如果能在香港設廠就好了。我想起一九八幾年時和魯師傅在花園餐廳的對話。當時魯師傅還未租用在火炭的工場，我們每天都聊天，說香港需要「scene shop」（製景工場），但香港只有做粵劇佈景的地方。我們需要一個場地、需要多大的地方，我們每天晚上都在討論這件事，有時Tommy Wong（王志強）也在。而繪景師也是個問題，當時深圳有個地方，專門抄襲《蒙娜麗莎》等名畫，魯師傅可以在那裡以較低價錢請到這些畫師幫忙，也幫忙造就了香港的製景業。現在不可以了，他們的畫作可能要到拍賣行才找得到。

長：　嘩，香港的地租多少錢？怎能買得起一塊地？做不了，是環境條件造成的問題。

朱：　聽你們剛才所說，魯師傅對香港演藝文化發展的幫助也不少。雖然香港難以有這樣大的地方用作製景，但你們覺得一個鄰近演出場地的製景工場是否必需的？這對於你們技術上的工序或發展是否會有比較積極或正面的影響？

長：　這個問題要平衡利弊。有一個製景工場在附近當然很好，不用乘搭火車去內地，只需步行過去或是坐一程車到沙田火炭便可到達，但失去的相對也有很多。用兩小時車程到觀瀾，得到的、可以做的事多很多。二〇〇〇年，最初大家都覺得觀瀾很遠，不太願意去，但慢慢大家都習慣了，而且相對所得的東西多很多。不用再在腦海中想像，在四百呎空間裡的那些組件會如何組合成想要的佈景，有時到最後還會發現不同組件拼合不了。這其實是一個發展過程，最初大家覺得地點較遠也可以接受，現在有些工場更遠了，據聞有的搬到惠州。沒辦法，大家都要適應，要接受那個發展。

菁：　我不接受的，我仍然夢想香港有個製景工場。

長：　嘩，夢想有一半地方那麼大，也偷笑了。

朱：　聽起來覺得魯師傅差不多等於是香港製景業的全部。現在魯師傅不在了，香港製景的發展接下來會是怎樣？是否需要有好像魯師傅這樣的人投入這個行業呢？如果我們認為製景師不純粹是一個技工，你們夢想中的製景師應該有怎樣的特質，才可以令這個行業更有發展前景呢？

菁：　我想分享魯師傅的另一面。我想應是在一九八六至八八年，魯師傅為港芭製景時，也有和外國人合作的經驗。那時我覺得他的適應能力很好。當時除了白奕泱（Brian Bartle）以外，香港沒有繪景師。如果外國設計師來港，尤其是芭蕾舞的演出，很需要繪景師，而魯師傅是唯一一個，他對此很自豪。當年製作《胡桃夾子》（*The Nutcracker*），佈景掛了打褶的餐巾，我帶外國設計師去到火炭的天台，並擔任雙方的翻譯。魯師傅很自豪，說自己能在這麼狹小又漏水的地方繪景、製景，外國設計師也不認輸，說他們製景的地方更小，會在教堂地上繪景，亦會漏水。我覺得他和其他藝術家相處時，很自豪自己也是個藝術家，覺得其他人畫的自己也能畫到。

長：　由當時到現在，我相信香港製景的公司當中，只有魯氏一間公司的老闆有美工底子，其他老闆都是拿槌子、燒鐵的。大部分公司都會聘請美工，或是請HKAPA學生來繪景，但那些老闆不懂得監督、指導這些事情。全港只有魯氏真的可以監察美工，所以如果有美工比較複雜的佈景，很多藝團都會寧願選擇魯氏。因為魯師傅真的可以幫忙監督，明白設計師的設計，或是給予建議。其他公司只會照圖繪畫，畫得好不好，老闆也不懂判斷。

帶： 魯師傅除了是一個繪景師之外，其實他和他身邊的人都有「technical sense」（技術觸覺）。我和他最有印象的一次合作是《三毛》，佈景是何爺設計的，在香港文化中心（文化中心）大劇院的「rear stage」造了一個斜坡，高至天花板，再像一個海浪般回來。那時何爺放下模型，便交由我們處理。當時我還很年輕，聽著前輩和魯師傅一起商量如何製作和搭建這樣的佈景。當年的大劇院的「rear stage」沒有任何機動設備，只有「hemp」，即是手拉的「bar」，這個佈景這樣重、這樣彎斜，又巨型得完全佔據了「rear stage」的空間，可以怎樣搭建？

最後魯師傅想出辦法，首先將頂部分開，這部分「坐地」，移動大劇院的「wagon」至「main stage」，在「main stage」放下「base」（底座）和「stand」（支柱）的部分，「ceiling」（頂端）的部分在「rear stage」吊起來，「wagon」移至「rear stage」，再（把頂部）放下去。我覺得這很厲害，竟然是由一個繪景師想出來，在座的TD完全不懂得怎樣做。當年沒有「chain hoist」（鏈式起重機），但他都可以想出解決辦法，這是很厲害的。當年沒有預算也沒有器材設備，現在有錢就做得到。那個解決辦法不是通宵討論得來的，大約一個多小時、幾口煙的時間，就解決了問題。我覺得很厲害，心想我的老師也未必懂得這些事情。

十年後，大家可能進步了，來到港芭，其中一個製作的佈景是由外國設計師負責的，好像是《睡美人》（*The Sleeping Beauty*），有一把高十多米的扇在大劇院的「rear stage」，用「hydraulic」（液壓，編按：透過液體的壓力能量來傳送動力）方法展開（圖二），是魯師傅和他弟弟想出來的。後來魯師傅覺得不夠好，改用螺絲塞，做了第二版，可以調校速度。速度較快，運作時較為安靜。因為液壓以摩打推動，會有較嘈吵的機器聲音，需要用音樂掩蓋。魯師傅除了會交貨給你，如果他下次用時覺得不夠好，還會主動修改，「我們不再做以前那些東西，那些東西沒有水準，現在改做另一些。」他有追求，一直在進步。我們現在還在用他的系統。

而他覺得虧本的，還是會做給你，這類情況是常見的。我知道甚麼是「碳刷」（編按：一種電力裝置，用於旋轉舞台以供應電力給台上的電器或燈具）、甚麼是「坦克車」（編按：車台），全都是因為魯師傅把它們運用在製景上。我只知道名字，問他可不可以用上這些東西，他說有，便交由他的廠、他、他弟弟，加上那些機械技師便可製作出來。所以我覺得他真的進步了很多，不只是繪畫那樣簡單。

長：　這也不是每個製景公司都有的。不只有他自己，還有他背後一群人一起去做。他還有一個很大的貢獻，在九十年代開始有第二、三、四間製景公司，全部都曾跟從魯師傅工作。夏光明應是第一個出來自立門戶的，後來有吳光創立了天安美術製作公司（天安），之後還有阿忠（楊考忠）。我曾經說過，以前製景行業不是很健康，是獨家的，甚麼也是由魯氏做，所以後來他的伙計出來開公司，我覺得是件好事，不論他們做得好不好，至少行業發展得更大了。

九十年代時，自從有了HKAPA，有很多學生畢業，就多了很多不同的演出，包括舞蹈、戲劇，一間魯氏怎做得來。一年十二個月，一個月可接到五、六個工作，那時百分之八十的人都是找魯師傅，因為沒有選擇，也不想選擇。魯師傅不論是五十萬還是五萬預算的佈景，都願意承接，但這很多時候影響了質素，他也不想，但實在是太忙碌了。

有一段時間，他接了海港城的聖誕燈飾製作，也好像曾和香港海洋公園（海洋公園）簽了三年合約，這些項目是賺錢來補貼舞台佈景的虧損，可以說是他的經營方法，其實是他的一個大貢獻。我覺得，如果當初不是他帶著一群寧波、上海的兄弟來到香港起家，後來也不會有那麼多製景公司出現，那些都是他培養出來的，不論那些公司的質素，但起碼整個行業能夠發展得較蓬勃，都是因為魯師傅。

朱：　三位覺得作為一個TD，可以如何支持藝團的藝術發展方向？有沒有一些例子，是可能製作、設計的藝術方向很好，但礙於場地的限制或其他實際問題而無法實現？或有沒有一些相反的情況，是在你們或魯師傅的努力下，實現了一些原本未能實現的東西？

長：　我記得當年有一個製作《Plaza X與異變街道》在葵青劇院演藝廳演出，後來重演了兩次，但這件事未必和魯師傅有很大關係。編舞黎海寧想要一個真雪溜冰台，溜冰台的面積和整個「rear stage」的「wagon」一樣大。當時，以我所知，香港只有兩間公司做真雪溜冰台，專門做九龍塘、太古城溜冰場等的冰台。我致電其中一間公司，說出大致要求，他回應大約要55萬，嚇得我電話都掉了下來。那次是由何應豐設計舞台，設計製作費已是二、三十萬。

因為是CCDC的製作，製景公司已給予最優惠的報價。但是做溜冰台的費用太昂貴，如何能成事？當時我搜集資料，看到美國有一些可拆裝移動的「ice panel」（仿真冰板），組合拼砌後便可在上面溜冰。但編舞說如果不是真雪的冰場，她便不做這個製作，改為重新構思另一個。哈哈，那可以怎樣做呢？唯有約那個老闆出來，喝杯咖啡再商量製作費，當時我說服了很久。老闆未曾做過舞台製作，之前做的溜冰場都是固定鋪設，但那次製作，不但要鋪設溜冰台，還要在演出期間借助「wagon」移動出來。

冰台如何保持冰面不溶化呢？就是外面有三條冷凍大喉管連接到冰台，冰台底下有大約五百條細喉製冷，冰台外面長期設有發電機，以及用來製冷的「豬乸」（編按：即指冷凍機，取其英文「chiller」諧音）（圖三、四）。整個溜冰台架設在「wagon」上，要在下半場演出期間升高移出，便需要斷開三條大喉管，那是否可以在中場休息期間完成呢？之後，冰台又可以維持多久不會溶化呢？很多事情都不肯定，我們就一起討論想辦法。例如怎樣可以最快又安靜地斷開大喉管，接著下半場大約45分鐘，演出完結後立刻駁回喉管，冰台應該可以保持，不會那麼快溶化，諸如此類。

當時真的有幸遇上了一個很好的老闆。當時CCDC沒有五十萬的預算去做溜冰台，唯有靠「contractor」的支持。當然之後還要和魯師傅協調，因為台上還有其他設計。當中有兩條「大筷子」（長條形佈景）凌空吊起（圖五），由「proscenium」（鏡框式舞台）的下舞台角落開始，跨過舞台到「rear stage」

的最深處，其實那是兩條很大的「工字鐵」，上面有雪櫃、單人梳化等，非常多的傢具和雜物，非常重，還要上下左右移動。魯師傅為此買了幾套雙摩打吊機，一個摩打控制上下，一個摩打控制左右。這真的要靠他幫忙出錢購買，我們實在負擔不起，演出過後他便收歸自己所用。就是這樣，大家各有貢獻，如沒有商量和討論的空間，有些製作根本做不成。對於我們這些貧窮的藝團來說，一百幾十萬已是全年的製作費，沒有可能全用在一個製作上。

帶：　有錢的方法就不一樣，變成是購買或租借裝置器材。

朱：　林菁或Roy，你們有沒有類似的經驗？

菁：　我畢生都在做這些事情。我在回想，和魯師傅一直合作以來，也嘗試了一些機械的應用。想起來有一次好像是和何爺合作的《城寨風情》，《城寨風情》首演是失敗的，因為沒有找魯師傅幫忙，第二次我就主動提議運用「hydraulic drive」（液壓驅動）。回到關於TD的問題，TD就是要做這些事情，還要有魯師傅和員工幫忙製作出來。有很多例子，成功的便成事，不成功的便再想辦法。

帶：　反而，我應該是抄你（林菁）的，第一次認識氣動（pneumatic，編按：透過壓縮空氣來產生壓力，推動機械）裝置，如氣鼓（bellows actuator）之類，是在魯師傅的工場。我看到的是你負責的《新傾城之戀》，有個三層樓高的佈景（圖六），那個佈景很重，而且要快速在舞台上進出。我去看是怎樣做的，發現原來是用了氣鼓。在工場看到魯師傅在安裝氣鼓，他說：「林菁弄回來的。」我嘗試抄用，但我沒有氣鼓，改用「cylinder」（氣缸，編按：一種氣動裝置），安裝萬向轆，「唧起」（升高）後再推走。我問有沒有一些較輕巧的方法，魯師傅就提議試用這些裝置，試用兩支，兩支不行，就裝四支，四支不行，就裝六支。在工場看起來不錯，但到了現場，舞者在上面就不行了，發現「唧唔起」，於是請舞者先下來。

菁：　所以就要用氣鼓囉。

帶：　所以下次要付費請魯師傅安裝雙倍（的氣鼓）。

長：　所以全部都是錢的問題。

菁：　所有這些應用都要花時間說服魯師傅去做，想成功，就要和他經歷這些事情。

帶：　就有些反覆試驗的趣味。

菁：　其實很多事情都是和魯師傅一起做出來的，多年來都是他，只有他這間魯氏美術製作，他很強調是「美術」，是「美術製作」。

長：　所以某程度上，現在製景行業有點青黃不接，我相信現在其他製景公司都未能做到他做的東西。他們都沒有美術底子，難道你要叫吳光五十幾歲才去學畫畫？

菁：　他的兒子？

長：　那就是下一代的問題。不只這樣，除了怎樣運用自己的技術知識來解決問題，甚至可以給予提議之外，還有一點是，他在搭建佈景前的準備和對於工人的管理，都較其他製景公司優勝，這都是有賴他的經驗。早期魯師傅會到場搭景、指揮工人，後期雖然有其他人幫助他，但還是魯師傅在背後主理。這不是每間製景公司都能做得好，有些甚至一團糟，自己都不知道在做甚麼。時間很重要，連自己都不知怎辦，各做各的，沒有協調，這是個問題，會直接影響藝團的製作。

反而，初時魯師傅在觀瀾設廠的時候，我和他說過好幾次，他最大的問題，是在內地製景和在香港搭景的是兩批人。內地的工人在廠裡製作佈景，清楚知道當中的結構和嵌合方法，阿二（李紅寶）到廠看了兩次，便由他帶隊搭建。初期真的發生過好幾次問題，當然最早期有些內地人直接到香港幫忙搭景，但這其實是違規的，後來，便真的分了兩批人，製景一批，搭景一批。負責搭景的工人不太清楚當中結構和嵌合方法，使得搭景期間出現問題。不知道你們有沒有遇過這類問題？

我有些佈景來到香港，嘗試組合時便發覺完全不對。幸好，通常魯師傅都會在場，多會自己執漏，由他老人家自己親手再畫。魯師傅會和設計師或繪景師討論出解決辦法，這樣臨場調適是常見的。雖然這未必是一個好的例子，但是在我和他合作的例子中，現場改動一定有，但改動完使得大家開心滿意也是常見的，同時大家都在追求完美，可能在工場未必很完美，到了現場覺得這樣做可能較好，便一起幫忙改動。

菁：　從開頭已有這些問題，所以香港要有製景工場。

長：　後來情況有些改善，但是他的成本高了。他會找負責搭景的香港員工，例如阿二，在製景的最後兩個星期左右去內地，了解如何嵌砌，但負責搭景的有十幾人，只有一個負責人了解，並不足夠。

菁：　而又有標錯組件號碼的問題。

帶：　我覺得這些是拼圖的趣味。我負責的《胡桃夾子》，佈景不算複雜，但有很多重複的組件，譬如一式一樣的「leg」有八件。在廠裡的製作，拼口的螺絲孔是很有「藝術感」的，一幅是這個位置，另一幅就是另一個位置，A1應該是和A2拼合，B1就是配B2，A1和B2應該是無法拼合的。在廠裡標錯組件代碼，到香港又混亂拼砌。在現場，成功拼合的掛了上去，不能拼合的留在地上。和師傅們提出問題，他們用上海話溝通後，對我說「看上去沒有甚麼問題，不知道你在說甚麼」。我便說「掛了上去的當然無事，掛不上去的才是問題，組件留在地上正阻礙我」。下一步便是打長途電話，找徐師傅（徐連平），我不是要追究責任，而是要知道可以怎樣處理，做新的拿來換也好，現場多鑽一個螺絲孔也好。

帶： 這些趣味是經常發生的，而魯師傅又很開心。他已是老人家，時常下午才來到，也不會再親手做，只會在旁笑說：「這樣呀？為甚麼你在廠時不做標記呀？」我回答：「我要做標記？魯師傅，我怎懂得標記你的『左一』、『左二』、『左三』呀？我的圖就全部寫英文，寫『stage left』（台左，SL）、『stage right』（台右，SR），你們從不跟從。」他們是用「director's view」（導演角度）來定左右方向，而不理會「台左」、「台右」，我們教了很多年，「SL」、「SR」，他都不會理你，總之標記是他定的。

還要看他的那疊圖紙——我說是「聖經」，他用螢光筆標記好組件，我拿到後便給我的SM，強調要收好，因為沒有這參考，日後的組件便對不上。因為那些「SL」、「SR」、「upstage left」（上舞台左）、「downstage left」（下舞台左），沒人會理會，一定要拿這份「聖經」來看。下次二哥（阿二）來到要圖紙，就拿出這份「聖經」給他。他的「左一」、「左二」、「左三」、「左四」、「#1」、「-3」、「-2」之類的標記，我是看不懂的，只知道有四件「portal」（横、側幕組合）。但搭景過程就是場拼圖遊戲，可能是要重新編碼和標記，或是以為正確，拼好四件掛上後卻發現出錯了，這是趣味來的。

長、菁：你好似很享受。

帶： 可能我做事比較隨意，因為那些「portal」按編碼排好，伏在地上等待掛起時，只看到後面，看不到前面，掛上後才發現花樣不同，然後又要放回地上，好像玩撲克牌般，逐張揭開看看。這些事情每天都發生，我沒試過完全沒有事情發生。一百多萬預算的佈景就是這樣的了。

菁： 十幾萬預算的也是這樣。

帶： 可能那些幾萬預算的就不用煩惱這些問題。我試過做地板，設計師喜歡畫斜格，營造透視效果，不知為何在廠裡看沒有問題，到香港後卻總是組合不到。因為是有透視效果的放射式格子地板，每件都獨一無二，不能換位。所以我又打長途電話給廠房，問有沒有遺留了一塊在廠裡，件數是不多不少的，共有16件或32件放在台面，但永遠組合不了，這才是趣味。現場玩拼圖遊戲，在一個多小時之內，幾十人把組件搬來搬去，嘗試拼合有透視效果的放射式格子地板，最後還欠兩件，便用其他佈景遮蓋，看不到就算了。這些趣味永遠都有。

朱：　你們和魯師傅合作很久，他對你們有沒有甚麼啟發？你們覺得魯師傅對現在這個行業的發展有沒有甚麼影響？

帶：　我現在常常向外國人介紹魯師傅這種搭景、標記組件的方式，叫做「Shanghainese Style」——「上海式」。外國人問甚麼是「Shanghainese Style」，我說：「Whatever you talk, they don't follow. They do it in their way. Whatever you write on the plan, they don't care. Finally, you will get what you need, you will get what you want to see. That's it. Relax. Don't ask. Shanghainese Style.」（編按：無論你說甚麼，他們都不會跟從，他們有自己的做法。無論你在設計圖上寫了甚麼，他們都不會理會。最後，你會得到你需要的、想要的佈景。就是這樣，放輕鬆，不要問，這就是「上海式」。）

「上海式」已涵蓋了一切。我常常和設計師說，他們用自己的方法做出來給你，這就好了，做得不對的話，他們會改，改到好為止。不是沒有進步，但「上海式」是一個勢力，是一個要接受、適應的模式。我找不到「香港式」，就算不是魯氏的「上海式」，其他的製景公司都是「上海式」，只是不同人的「上海式」。我很幸運，暫時未接觸過其他的處理方式。如果不喜歡某些東西，就要自己想辦法準備，例如覺得他們的「wire」不合標準就自己準備。如果他們沒有配套和人手就自己準備，例如現在沒有人幫忙修正顏色，因為魯師傅不在了，後來廠房又沒有這方面的繪景師，於是就自己準備，所以用「上海式」，你就要自己準備配套。現在的市場暫時就是如此。

長：　這也反映了我常常思考的一個問題，製景行業為甚麼只有「上海式」，是因為沒有「北京式」或「深圳式」的製景公司以供選擇。即使魯師傅的伙計自立門戶時，也承傳了很多魯師傅的做法。這個行業未能培養多元模式，只能是「上海式」、「魯師傅式」。但我又覺得，這相對是因為香港表演藝術市場未能獨力支持一個製景工場的經營，未能吸引很多人來投資。我相信魯師傅如果只是依靠舞台佈景的生意，是不能經營下去的，無法維生。

帶：　是經營不了。我曾經找外國製景工場報價，魯師傅報價要一百萬的，他們要二百萬，所以最後一定是選擇魯師傅的「上海式」。

菁：　即使是魯師傅的廠房，製景的檔期都要和海港城的訂單競爭。所以你看到「魯師傅的廠房」影響多深遠。

長：　你找外國工場做，當然貴，人工又貴。整個行業不能支持這樣的公司。魯師傅要用從香港海洋公園、海港城賺回來的錢，來補貼舞台製作。如果說要有多少盈利才能營運公司的話，表演藝術行業就支持不了這樣的經營。如果是賺錢的話，李嘉誠早已經開公司投資了。其他公司也是，除了舞台製作之外，他還會接其他工作，這樣才能生存。魯師傅為甚麼可以「蝕足」廿年，是因為有其他收入來源支撐，否則已經不能維生。

菁：　這是一個艱深的問題，我是想不明白的。通常一說到這裡，我就會說「你就好啦」，放棄試圖去解釋怎樣才可以生存下去。

長：　我真的看不到這個行業能支持這樣的投資。

菁：　這是時機問題，二〇〇〇年的時候，內地的生產成本相對較便宜，有這個空間去做這件事，慢慢賺了一些錢，才有能力不太計較金錢，盡力幫忙製作舞台佈景。

長：　現在每間工場都設在內地，有些在深圳，有些在惠州，但都是和魯氏有關連的公司。

菁：　吳光搬到了惠州，如果有內地的大型製作，他都不會做香港的製作。

長：　吳光的天安相對來說已經算是發展得比較好、規模比較大。我沒去過，但有看過他們的相片。舞台製作的競爭力小，換句話說，是我們的選擇很少，來來去去都是那幾間公司。以前CCDC從不招標製景，後來我們的製作超過某個預算，便要投標，其實每次都是那兩、三間公司，最多只有四間。最終選擇了又如何，競爭性很低，始終市場不夠大，不足以支持製景行業。

朱：　魯師傅除了做香港的佈景，會否做內地的製作？

長：　我想比較少。內地有另一種生態，而且從事製景的公司也不少，深圳、上海、北京都有很多。他們通常是另一種關係，內地的設計師多數會選擇自家的工場。除非魯師傅和內地著名的設計師相熟，否則沒有人情關係，不容易進入圈子裡。

朱：　所以雖然他的廠房設於內地，但其實主要的客戶都在香港，只是不只是表演藝術的製作，也可能是商業的製作。

長：　對，一定有商業的，不然的話，要怎樣做下去？真的「蝕足」廿年。只做舞台佈景，真的無法維生，更遑論要養活幾十個工人。

菁：　現在沒有幾十個了。

長：　現在少了很多，最旺盛的時候有幾十個。

潘： 魯師傅在二〇二〇年離開，直至現在我們還在疫情期間，即是說有很多本身應該在劇場發生的，牽涉製景、入台等技術的製作其實少了很多，所以你們剛才所說的問題的嚴重性可能還未完全呈現，因為我們還未全面恢復正常製作。

剛才林菁多次提出有香港製景工場的重要性，但我們又清楚看到表演藝術市場太小，不足以支撐工場的經營。如果香港真的有一個工場，需要怎樣的培訓？以香港為本位，行業生態需要怎樣發展，才可使得將來的畢業生，或下一個世代更加健康地發展？如果香港有製景工場，你會怎樣做？

菁： 這個問題很闊，首先要問大家是否同意幾個假設才可以繼續討論。第一，表演藝術行業是否可以自給自足？即是說我們是否需要政府的資助？我的假設，是香港的表演事業，或是我接觸過的外國「regional theatre」（地區劇院），只要不是商業劇場，都需要政府的資助，即是需要政府的表態支持才能談下去。如果這個假設成立，我就會想起，剛入行時，話劇團吸引我的，是當年市政局對於香港舞台發展的五年計劃，當中包括一個製景工場。後來因為種種原因，殺局以後，推倒重來，來到了康樂及文化事務署（康文署）年代。但我仍然覺得話劇團是需要一個自己的製景工場，這是借鑑於外國劇團，例如「皇家莎士比亞劇團」（Royal Shakespeare Company）有自己的製景工場、劇院。這對我來說才是一個健康的「theatre company」（劇團）營運模式，舞蹈團如是，芭蕾舞團亦如是。

在佈景中綵排是這個行業應該要做的事，不過由於種種原因，我們在香港多年來一直實現不了，直至現在也未能做到。做不到的原因，就是政府沒有真的支持興建一個劇院。例如整座文化中心就包括了一個工場、一個大劇院。有人曾對我說可以駐場使用那個工場、那個大劇院。每一次都是用相同的原因興建不同的硬件。例如葵青劇院、現在的西九文化區（西九）、將來的東九文化中心，都是用同一種模式來興建，但應該發生的事情並沒有發生。那麼這些硬件用來做甚麼？排演室讓人臨時租用？劇院就一年前來預訂？

長：　你現在說的是場地設施，但你之前說的讓我想起，話劇團是否應該有自己的製景工場？

菁：　我覺得應該要的。

長：　那麼很重要的是那個設施不是由場地提供，而是屬於藝團的。我立刻有另一個假設，如果CCDC、話劇團、港芭等九大藝團，各自都有不同大小的工場，例如話劇團、港芭有較多製作預算的，可以有三萬呎廠房；CCDC的製作預算較少，可能五千呎、或者八千呎就可以了，然後藝團聘請人手製作佈景。營運模式就不再是以私人公司來營運，不是天安，不是魯氏，而是由藝團負責，形成製景工場。如此的話，就要看我們有沒有能力，或何時有這個能力，因為藝團的營運資金，特別是九大藝團，都來自民政事務局（編按：於二〇二二年重組，分成民政及青年事務局和文化體育及旅遊局）直接撥款。

如果每年民政事務局按照不同藝團的要求、需要，例如話劇團提交計劃書，列明所需人手、場地面積、相關開支等，而民政事務局可以按比例地額外提供這方面的資金的話，那香港就真的可以百花齊放。但當然現實有很多環境因素需要考慮，例如設置廠房的地點，市區租金昂貴。到現在，CCDC還在面對這個問題，一直以來都是靠曹先生（曹誠淵）個人的物業支持。「中英劇團」八十年代初已有位於波老道的辦公室，港芭則在藍塘道，哪有批出地方給CCDC？我在CCDC已經做了二十幾年，二十幾年前已經向政府提議批出地方給我們，政府隨便敷衍，說天水圍有間小學，要我們去看看，也是無用。

菁：　剛才說的五年計劃，政府不是不知道，而是沒有人做。當然，不做便等於是優次排得低，即是香港不重視這些東西。

長：　怎樣可以使得政府支持這個行業？怎樣可以讓政府明白這些事情的重要性？是否可以每年多撥二百萬給藝團營運一個工場呢？

菁：　其實重要的不是廠房的大小。假設有無限資源，便可盡情要求廠房大小種種。但若要這樣營運的話，可以由一個小型工場開始，行內的人會找一個方法，慢慢發展這件事情、慢慢讓它成長。或者可不可以建設一些共享的設施？這只是政府想不想做而已，想做的話就應該有方法，有多少資源就做多少事情。但現在有很多設施是丟空的，例如文化中心的工場，空置了二十年。

長：　對，文化中心七樓的工場（圖七），以前最厲害便是每逢藝術節的歌劇演出，便讓魯師傅在那裡工作兩個月。港芭有沒有用七樓的工場？

帶：　首先那個工場不在租用清單內，有錢也無法租用，沒有價目表，喜歡借給你便借給你，純粹是行政管理的決定。

菁：　行內慢慢便覺得那個工場不是拿來用的。

陳：　那用來做甚麼？

菁：　問得好，大家可以去看看當時興建文化中心時，設計這個工場的原因。

帶：　其實因為在香港的「theatre consultant」（劇院顧問）全部都是外國人，他們的設計是基於外國的模式。外國的市政府有市芭蕾舞團，在市政廳上演製作，有附設工場，於是文化中心都有工場，有「wardrobe facilities」（服裝製作工場）在八樓……或是稱作「7M」。他們以為模式就是這樣，怎知道香港很古怪，沒有駐場藝團，場地由政府管理，藝團只是租客。

菁：　然後大家就把場地想像成百老匯劇院（Broadway theatre）、西區劇院（West End theatre）的營運模式。

帶：　那些劇院顧問只是負責興建，但營運上涉及管理、租金收入種種事情。這些事情同樣發生在現在的西九，有同樣的問題，有了場地，但沒有駐場藝團，或是駐場的時間很短。

菁： 我們（話劇團）在香港大會堂演出都是要付全費場租的（編按：香港話劇團為香港大會堂場地伙伴），雖然我們都是用政府的資助來付租金。我都不明白香港的駐場藝團是甚麼概念來的。

長： 我覺得你的話啟發了我，應該不是再依靠場地和設備，藝團應該要想辦法和政府討論這個問題。雖然十年後我或已退休，未必能夠享受成果，但是能給予下一代機會，請政府幫助藝團建立工場，由藝團自行營運，甚至自己尋找地方提出計劃書，請求政府批出地方，自己計算所需資金，請求政府撥款。走出了第一步，然後就是你所說的，與政府來回反覆討論預算、工場租金等細節。只要有了第一步，慢慢討論第二步，已成功了一大半，有很大的進步。細節都可以商量，三萬呎不成，便從五千呎的小型工場開始發展。希望有後人來做。

帶： 這正正是我的經驗告訴我的，我們的製景文化或程序，真的與外國不同，外國設計師有時會問我為甚麼演後的佈景需要摺疊起來，我解釋說因為劇院不是我們自己的，所以佈景要摺疊放回貨櫃。在外國，佈景從來都沒有離開過劇場，因為劇場是他們自己的，就算佈景高15米也可以直接放回劇團的倉內，只要按鍵便可下降至地庫放好。

長： 他們真的是駐場，駐場藝團就是這樣。

菁： 所以我們只能是「魯師傅」這種佈景製作模式。

長： 但生態環境很狹小。

菁： 他的影響就是這樣深遠。

（圖一）城市當代舞蹈團、北京現代舞團《給你一點顏色》（2001）一眾舞者在魯氏美術製作有限公司製景廠中排練

（圖二）香港芭蕾舞團《睡美人》（2015）

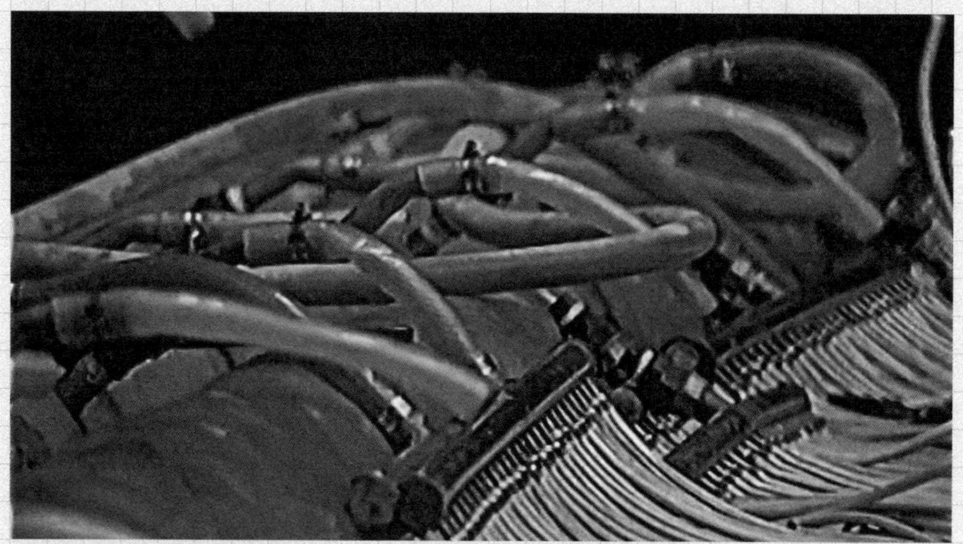
（圖三）城市當代舞蹈團《Plaza X與異變街道》（2000）冰台底下的製冷喉

（圖四）城市當代舞蹈團《Plaza X與異變街道》（2000）冰台底下的製冷喉

（圖五）城市當代舞蹈團《Plaza X與異變街道》（2000）的「大筷子」

（圖六）香港話劇團《新傾城之戀》（2002）

（圖七）香港文化中心七樓的製景工作間

（從左起）呂偉基、王德瑩、徐寓安

尋找生存空間：商業製作與舞台製作

日期：二〇二一年四月十一日

時間：下午四時至六時

地點：香港海洋公園

訪問：朱琼愛（朱）、陳國慧（陳）、林喜兒（林）、潘詩韻（潘）

分享：徐寓安（安）、呂偉基（基）、王德瑩（瑩）
（按發言序）

整理：梁妍

朱：　首先感謝三位來分享你們與魯師傅合作的故事。想問你們第一個和魯師傅合作的作品是甚麼？或者你們最深印象的製作是哪一個？

安：　我剛入行時在香港文化中心（文化中心）擔任RSM，當時我與魯師傅負責現場佈景。很有趣的一點是，其實我們聽不懂魯師傅說的話，所以我們從互相不了解到慢慢可以溝通的狀態也花了不少時間。不過其實魯師傅不記得我叫甚麼名字，每次都是「那個誰那個誰」這樣叫，他只是記得我的樣子。

基：　我最有印象的，應該是我任職「中英劇團」（中英）、大概是一九九五、九六年時擔任《禧春酒店》的PM。那個佈景非常巨大，佔據了香港演藝學院（HKAPA）歌劇院的半個主舞台（圖一），當時就是由魯師傅負責造景。他沒有考慮怎樣去換景，但那個佈景非常大，也很重，而我們在製作過程中溝通得不太清楚，以致換景時相當辛苦。

瑩：　我第一次與魯師傅合作應該是二〇〇三、二〇〇四年、我還在讀書的時候，但已經忘記了是哪個製作。第一次認識魯師傅及他的團隊，我也有因為語言不通而溝通不了。待我到香港海洋公園（海洋公園）工作之後，才開始與魯師傅相熟。

朱：　你說到了海洋公園工作後才多了和魯師傅合作，是不是「哈囉喂」的鬼屋？

瑩：　是的。其實海洋公園的萬聖節活動，從設計到製作，一直都有不少舞台界的朋友來幫忙，但製作流程與舞台界的也有不同。因為我在HKAPA讀書的時候認識了魯師傅，我就想不如邀請他成為我們的「vendor」（承建商）。剛開始的幾年，我們也有一些爭吵，源於語言不通以及合作模式的差別。經過磨合之後，他變成了我和我的團隊都很尊重的人。

海洋公園也有很多其他的判頭，但魯師傅非常注重和堅持設計當中的感覺，所以會緊貼設計來製作，然後從中繼續創作，未必每個「vendor」都可以做到，所以我們很欣賞這一點。他有很多自己的意見，這對我們很有幫助。例如鬼屋，即使魯師傅未必擅長所有東西，但是對於中式的製作，他很熟悉，也做得非常好。所以每次魯師傅都會對設計給予很多反饋、很喜歡一起討論那個設計，變成了一個共同創作，而不是海洋公園單方面提供設計。

基： 他有趣的地方是他會「抵唔住頸」（沉不住氣）。在中英，魯師傅曾經試過因為「抵唔住頸」而改動設計師的東西，而且還做了出來，我們很是生氣。可能設計師做的研究與魯師傅心目中的有誤差，所以他忍不住。當然，出來的效果是好的。但問題是，一個製作突然出現這麼臨時改動的東西，我們會很擔心，「為甚麼那個樑與圖的尺碼不同的呢？」不過，試過一兩次之後，魯師傅就會跟我們有商有量。

安： 我曾與魯師傅在文化中心做過幾個大型節目。跟他合作是很開心的，經過長時間的合作，就愈來愈配合得到對方。這麼多年下來，他每一次做的佈景都會有進步，他不斷地適應場地的環境、設施，再重新包裝那個佈景。不是每一間公司都會幫你去思考——那樣是否能吊起來？是否真的可以組裝、拆卸下來？合作過幾次之後，大家有了默契，那些佈景的部件都會預先調配好。有了設計師的圖之後，魯師傅真的會幫你思考，怎樣可以組裝起來是最快、最漂亮、最牢固的。如果場地有限制，他也會一併幫你揣度。一般「contractor」都是根據圖紙來做，如果出錯，那也只是跟著客戶給的圖來做。

基： 是的。早年的設計圖沒有太多技術層面的指引，只有視覺設計，其實都要依靠「contractor」去思考如何構造，所以魯師傅擔任了一個非常重要的角色。他有如此大型的工場，也有如此資深的製作經驗，這點的幫助很大。

陳： 剛剛大家提到，魯師傅對於中式設計美學很有自己的看法。Andy（徐寓安）你曾提到中天製作有限公司的《美人如玉劍如虹》也是，你是否也認同，魯師傅特別能夠駕馭中式的設計？

安： 有時候我們畫了設計圖，也不是每一次都可以那麼精雕細琢地全部做出來，因為造價會很貴。有時候，西洋的味道、調色的方法，魯師傅不是很能做到。但如果是中式的設計，魯師傅真的會花很多心思。他有一個專門畫中式設計的美工師傅，可以做到那種立體感。他製作的速度和美工，很符合舞台上的需要，也真的可以在舞台上呈現出來，這是我們非常需要的一種技術。我也同意Vicky（王德瑩）說的，他對於中式設計的處理和技術非常優異。

瑩： 不過我有時也很驚訝。雖然他很擅長中式設計，但海洋公園有一些西式鬼屋主題如《陰屍路》（*The Walking Dead*），他也做得非常出色。如果他遇到不熟悉的領域，他會很努力去找資料，把那套電視劇看個幾百遍去嘗試，所以那次讓我們很驚訝。坦白說，當時我們有一點遲疑，是否要把《陰屍路》和《捉鬼敢死隊》（*Ghostbusters*）的鬼屋製作交給魯師傅，但結果他做得很好。對方看過我們的樣板之後覺得不錯，就允許我們使用他們的「IP」（知識產權）。

陳： 得悉有些設計師或藝團，無論資助審批過程多麼艱難，都會盡量選用魯師傅的公司。但是聽了你們的分享，發現原來是另一種狀況。是語言和溝通方面令你們有遲疑，還是技術層面方面？

基： 其實行業不斷在進步，一些舞台機械或者自動化的東西也出現了。當年香港戲劇協會（劇協）有一個演出《喜尾注》，我負責音響設計。余振球設計的舞台，是一個公事包的形態，打開是一間雙層房子，演員可以從裡面走出來（圖二、三）。當時我們也遲疑過：設計師的設計出來了，但是由誰去思考那個具體結構呢？預算也不多，我們都是期望以最少的成本做最多的東西，以前我們就會「撈」（拜託）魯師傅幫忙，而我們也在考慮，這麼複雜的機關是否還可以「撈」到呢？甚至是否真的可以實現出來也是一個問題。

我們與他討論了幾次之後，慢慢就有了信心，因為魯師傅很堅持，他說：「有甚麼是我造不出來的呢？」他經常說「得啦，我們回去想啦」，然後就與他的工匠回去嘗試。期間有很多試驗和失敗，甚至在重演的時候他再重新設計了那個機械裝置。這就是他和他的團隊作為決定者——「我接了這份工作，一定行」——的堅持。這一點真的很有趣。

瑩： 我覺得不會因為語言問題而有遲疑。你們剛剛說的我都同意，魯師傅會選擇那些他覺得有機會發揮自己才能的工作來做。當然海洋公園有一點不同，我們要經過公開的投標過程，其中涉及報價、計劃書，這些我們都會看。通常我們把招標書發出去之後，他會跟我說「我想做這個項目」。 然後我會跟他說：「但是魯師傅，中式的你比較擅長喔。」「不是，我覺得這個挑戰性很高，我想做這個。」我說好，但其實最後也要經過一個投標過程。這可說是魯師傅的「鬥心」？無論是哪個年紀、哪個階段的魯師傅，他都想突破自己，跳出自己的舒適圈。

陳： 在舞台界的製作公司屈指可數，但對於海洋公園，製作公司的競爭很大，你覺得魯師傅及其團隊的優勢在哪裡？

瑩： 在海洋公園的角度來說，魯師傅與其他「vendor」的區別是他對於質量的執著。有一些商業的「vendor」，是我們提出甚麼設計，他們就會做甚麼。但魯師傅對「美」有自己的想法，他會與我們溝通，給予我們意見。我們的關係很緊密，是在共同設計這個項目，而不是「我們是招標者，他是『vendor』」這種關係。早期雖有爭吵，但慢慢了解之後大家互相熟悉，也更加「相愛」，所以那個製作過程是很高興、很享受的。

雖然有時候不能完全聽懂魯師傅的說話，但有了魯師傅之後，我們的東西變得更好。和舞台不一樣，舞台與觀眾有一定的距離，但在鬼屋，觀眾可以很近距離地看到製作成品，所以魯師傅也很注重這一點。「你的客人與那個製作距離很近的呀，要仔細一點呀。」有時候我們都覺得不用那麼仔細，但是魯師傅會說：「不行呀，這裡一定要立體，要浮雕……」他有很多這類型的投入。

陳： Andy你們的團隊是不是也與魯師傅很親密的？

安： 我也不能說我們非常親密。魯師傅在身分上是我們（文化中心）的租客的「contractor」，但是後來合作多了，就變得像是一個朋友。克服了語言障礙之後，其實很多東西都很順暢。魯師傅很有趣的地方是，因為我們是場地管理方，我們之間沒有直接的金錢關係，但是如果有些東西現場做得不好、需要修改的話，我說「這樣你們會虧損的」，他也會照做。佈景製作的時間又趕，盈利又少，甚至要虧損，但魯師傅似乎不是很計較這些。總之第二天開場前，佈景就會出現在台上，這個是魯師傅令你很安心的地方。我們場地與魯師傅合作的話，其實是非常合得來，因為如果做得不好，魯師傅自然就會把它改到好為止，那我們就可以用場地的設施來配合他。

基： 我跟魯師傅的關係經歷了兩個不同階段。早年我在中英任職時，需要考慮整個佈景的預算和效果，所以那個製作費總是抓得比較緊一點。後期我轉職在場地工作，在葵青劇院和荃灣大會堂工作了12年，相對沒有那麼關心佈景的製作，反而是看魯師傅來到場地之後怎樣與場地的配套協作。我們會更加注重佈景結構的安全、他們搭景的工序等等。

你會看到魯師傅在三、四十年前製作的佈景與後期的比較，結構上的水準不斷提高，他也很願意試很多新的器材，不過資源有限。我經常叫他買外國那些符合規格的「flying iron」，或者某種吊景用的鋼絲，之後可以循環再用。但是他說「不是的Eric（呂偉基），那個拆了之後就沒了。我當然不買啦。」他知道怎樣用低成本的方法去做出類似的效果，譬如吊具或者摩打，逐步追上你的要求。很漫長地，大家一起進步。他願意去進步，過程中只是礙於資源和預算，暫時做不到。大家互相影響、配合，你多「推」他一點，他就慢慢多做一點。他是願意去走那一步。對某些「contractor」，哪怕你跟他說十次，他也未必願意。

朱： 當你負責場地的時候，你最關心的是安全問題？你們與魯師傅的合作，主要是確保他可以符合場地的要求？

基： 可以這樣說，其實還是資源問題。魯師傅近年的佈景都是在內地製作，所以香港的製作團隊很難很緊密地去內地監督整個製作過程，可能只是過程中開幾次會議，做好之後又要拆件運送到香港，可能建造的是A團隊，來裝嵌的是B團隊。難處就是，可能A團隊已經想好了很多結構上的問題，但是來港的B團隊，能否與本地團隊的PM或者TM溝通得到？兩個團隊之間需要找到共識和方法，令香港的製作單位有信心。我看到魯師傅真的很辛苦，無論他自己或者他們團隊的阿二(李紅寶)，也試過佈景來港的時候裝嵌不起來，感到很頭痛。這是很有可能的，畢竟你全部拆了然後裝在貨櫃裡運過來。因為資源的關係，那個工序變困難了。如果製景工場在香港就沒有這個問題，但是又不太可能。

安： 曾經有一次要做一個長七米的佈景，那麼魯師傅就一整塊地做，然後在中間，「啪」的一聲就斷掉了。之後魯師傅才拆開上下兩件來做，就算合起來也依然是好看的。我們其實也認識了魯師傅二、三十年，但到近五年、十年，他不斷因應需要來調節，做的東西更加可靠，因為木料更好了，手工也好了，東西變輕巧了，他懂得分開上下兩部分來做。他親眼看過「斷景」這種危險的事情，我相信他也不想他的兄弟們受傷。所以我想他也是在不斷適應一個實戰年代的轉變。他對每一個作品也投進很多心思，也願意與場地合作，不同於另外有些「contractor」很抗拒配合安全標準。如果你說要滿足安全標準，魯師傅說「下次，下次」，然後下次你就看到那個部件改變了。他每段時間都在演變著，即使最初沒有，最終還是會做到。

瑩：　鲁師傅學習得很快。海洋公園裡也有安全部門，負責監管所有佈景或者建造。一開始的時候，魯師傅也有點急躁，「吓？這麼麻煩？」，但是他會願意去接納和適應我們提出的安全要求。像你們說的，可能一開始還沒有那麼好，但慢慢地愈來愈好，所有的建造都很安全，我們所提出的標準，魯師傅他們都能達到。我們還需要申請牌照，如臨時娛樂牌照之類的，所以要滿足很多不同的要求，而魯師傅他們都可以做到。魯師傅他們其實很能與時並進，做出來的東西都很可靠。

朱：　就舞台界的製景公司而言，有一種感覺是，魯師傅的公司就是「唯一」的一間。現在魯師傅不在了，你們怎樣看製景公司未來的發展呢？你們覺得魯師傅這個模式是否唯一的呢？或者你們覺得怎樣可以做得更好？

基：　作為一間佈景製作公司，我想，魯師傅的公司其實是唯一一間與藝團建立起感情的公司。這麼多年來，很多藝團都對魯師傅有所虧欠。我想那個感情，真的只有魯師傅才有。不會有人像他一樣，不計較價錢都幫你實現那個佈景，至少暫時我找不到另外一個這樣的人。我們三、四十年前入行，從跟魯師傅吵架，到慢慢建立起關係。我想沒有哪個在行內做得比較長時間的人，沒有跟魯師傅吵過架。而吵架之後能慢慢培養出感情的製景師，他是唯一一個，我也找不到第二個人了。他的存在不是一間公司，而是我們行內的一個精神，暫時沒有人可以取替。

瑩：　是的，那個感情真的不一樣。當然我不認識所有的「contractor」，但也未曾跟其他「contractor」有過同樣的關係……而且還有魯師傅對製作的執著。

安：　我與魯師傅有過不同形式的合作。其實與魯師傅合作了這麼多年，除了他會進步之外，我自己也在魯師傅身上學到了一樣東西：原來還可以多走一步、改得更好。走了這一步之後你還有機會，可能下一次還能更好。能在十年、二十年的時間裡，歷久不衰，繼續進步……不是很多香港公司可以這樣，以一個友情價，和你一直走到這麼遠，令你的製作和設計，從一張紙變成一個實物，而且每一次都做得更好，功力更加深厚、更加進步。我覺得我也從他身上學到這一點。這樣的人在我們行內還是很少。

如果要說將來香港有沒有公司可以做到這樣，應該真的很少。像Eric說的，香港舞台製作公司很少，因為我們的預算真的不高，與香港體育館三十場演唱會的那種預算無法相比。但是在這樣的預算之內，願意為你花心思、投放時間去幫你搭建，然後又可以交出有質量的貨——這樣的公司，在香港真的不會有超過五間。將來如果要繼續做下去，大家要想想如何在資源運用上做得更好……現在很多公司都在內地生產，你要等到佈景運來香港、打開貨櫃的那一刻，才知道你會開心還是不開心……那個賭盤是很大的。要看其他公司是怎樣做吧，怎樣可以配合……我覺得會有很多事情發生，未知將來會是如何。如果現在要找一間有承擔的公司，在精確計算之後可以幫你完成一個製作，現階段來說是有點難。

陳：　魯師傅曾經在火炭有過一個工場，但是因為空間問題而無法繼續。以你們的角度，這是不是對解決佈景運輸、搭建時間、人手分配等問題來說，是最理想的方法？如果現在實現不了，有沒有其他空間是接下來可以發掘的——譬如臨近的大灣區——而對整個行業發展是有幫助的？

基：　香港的租金乃至工人的價錢都很高，究竟一個藝團是否有充足預算在本地製作一個佈景？北移就是為了省錢，租金便宜，人工也相對便宜，又可以直接在內地買材料，終究是資源影響了發展。要到怎樣程度的製作才可以讓製景商留在香港製作佈景呢？我們是否有足夠的觀眾？是否可以售出足夠的門票，去負擔製景的成本？這些都是相互扣連的環節。

瑩：　技術北移不僅僅發生在我們這個行業，香港很多行業也是如此。無論是怎樣的演出，畢竟都是一盤生意，成本的考慮居於首位。如果在香港製作佈景，我們去監督成品也方便些，但實際情況就是成本會高了很多，尤其是人才的成本。內地的工匠可能只需要一半的人工甚至再少一點便可以做到。以上種種，我覺得都是離不開經濟成本這一點。

安：　真的如此。香港的地很昂貴，成本的問題一直存在，所以將來一定會往成本低的地方發展。這也影響了設計。你是否可以做出一個方便移動的設計，方便運送到香港和組裝？總括來說，一個是成本，一個是製作本身是否有流動性。如果你的演出本身是容易移動的，也會比較容易進行巡演。

陳：　如果未來想持續一個健康的劇場生態及製景生態，我知道一定有資源方面的問題，但你們覺得可以怎樣打開這樣的空間？未來將會有很多場地落成，場地也考慮過讓藝團駐場，裡面可以建造一個「workshop」（工作室）之類……你們覺得可以改變、推動甚麼，讓魯師傅的貢獻可以留下來，同時可以承傳下去？

基：　我就駐場這方面談一下。當初建立文化中心時，其實備有佈景製作工場，有器材、工具、空間，打算以駐團的模式運作。佈景建好之後，搬到演出場地即可，到最後這件事情卻沒有實現。第一，是駐團的團體是否願意在那個場地，付出努力，令整個配套順利地運作；第二，是政府願意投放多少錢去實現這個計劃。這麼多年來，我看不見政府願意，而且不計量地投放資源去幫助這些藝團。

當時主要是與大型藝團討論。大型藝團不願意進駐之後，(政府) 就沒有去找中小型藝團傾談。到現在，即便有了香港藝術發展局 (藝發局)，以及民政事務局 (編按：於二〇二二年重組，分成民政及青年事務局和文化體育及旅遊局) 的一些先導計劃，他們也沒有考慮這方面的配套，只是撥一筆款項去資助藝團。其實製景也是一盤生意，有多少人會像魯師傅那樣不以賺錢為主要目的呢？所以很難找到一群人願意開始這種駐場模式，去支持香港目前的劇場生態。

香港劇場的資助都是來自於政府，二十年來那個「餅」(編按：資助額度) 也沒有變大，無論藝發局還是民政事務局，都沒有特別增加資源。但其實很多小型藝團也想在這個「餅」中尋找資源去做自己想做的事，所以導致了那個「餅」從來都不夠分。如果連藝術方面的支持都還沒有達到可以滿足大小劇團的生存需要，那真的很難要資源流入配套設施。

瑩：　我覺得這也是需求問題。如果香港有多一些觀眾進入劇場，當政府看見有這樣的需求時，他們自然會增加資助。有多一些資源進來，才可以培養多一些新人。我大概是在二〇〇五年大學畢業，可能因為沒有那麼多機會，已經有不少人離開了劇場，所以如果政府不打算發展 (表演藝術事業)，很少人會想入行或創立公司。無論是製景還是演員，都可能停滯了，無法向前。

安： 我同意。如果沒有需求，其實沒有辦法製造新的機會。我在想可以怎樣製造新的需求，譬如除了一、兩個星期的演期，有沒有機會可以有多一些巡演站點？有沒有辦法讓一些製作離開香港，去其他地方演出？那麼佈景的經濟效益會好多了。以前有演出會去澳門，或者大灣區，譬如廣州、深圳幾個站，甚至東南亞，那個佈景的成本也就相對降低了。

另外，就HKAPA畢業生而言，目前的市場除了劇場外，可能就是海洋公園、香港迪士尼樂園，我們還有沒有辦法開拓新的市場？如果有市場，就會需要作品、演員、佈景，還有舞台、燈光、音響，這樣才會衍生更多的機會。這個應該是將來很重要的模式。剛剛Eric提到的駐場，當有新的場地出現之後，會否有更多「藝術家駐場計劃」之類的實驗，讓新的藝術家發掘自己可以做到的事？

最近「Art Tech」（藝術科技）比較熱門。以前魯師傅通過手工模式去製景，但現在科技的發展與材料的更新，佈景不再是由一磚一瓦那樣搭建出來，可能將來會有新的方法去做，那就不再叫「construction」（建造），而是叫「scenic」（繪景）。那麼這個組合將會是怎樣？會否有不同公司負責不同環節，然後發展出不同的商業整合模式？這個可能會是有志於繼續在這個行業裡發展的人的新想法。如果還停留在搭建一塊木頭上，就很難有更多新的創作了。

陳： 如果魯師傅的團隊繼續留在香港，以你們後期的合作來看，他們是否都適應了這個新的發展，與大家一起去探索「Art Tech」？還是他們其實已經跟不上了？

安： 「Art Tech」在香港是很新的東西，在外國的發展可能久一點。魯師傅的團隊不是跟不上，可能魯師傅比較著重設計，如果設計涉及這個元素，那他就會嘗試去實現。這視乎設計師的概念以及劇作的呈現，未必是魯師傅跟不跟得上，而是設計本身有沒有提供這個機會。

瑩：　這個不是魯師傅的長處。當我們合作的時候，很多時候他會跟從設計師的意見，譬如做「projection mapping」（光雕投影），他就會用我們提供的材料，例如上漆，然後我們再與另外的技術公司整合。所以這方面確實不是他的專長。他做實體的佈景會更好，但他也會跟其他的「contractor」合作。

基：　工場模式是其中一個限制。他們的工場主要是處理金工、木工、吸塑（編按：透過加熱和抽真空在模具上的塑膠片，將其塑形）、發泡膠、雕塑等，大都是手藝的部分。當然，如Vicky所言，魯師傅會配合那個發展的趨勢，但他的主力始終是手作，而且他的手藝在行內是數一數二的。另外，魯師傅找到很多減低成本的方法，盡量令手作模式所需的成本可以降低，於是他在十萬、八萬預算內都可以做得到，這是有些工場做不到的。

朱：　我覺得魯師傅的長處，是他自己是老闆，而他自己也有藝術的背景，對自己的製作有要求。據你們所知，現在香港有沒有這樣的製景人才？培訓的狀況又是怎樣？有沒有一些年青又對自己很有要求的「contractor」出現？

基：　在商業領域的比較多。我在中英工作的年代也遇到過一間公司，佈景造得很有水準，但因為是商業的公司，它的價錢就很高。近年很難找到年輕的「contractor」，因為HKAPA已經沒有主修佈景製作的學生。以前是有這個主修科目，沒了之後就只有「技術指導」的學生去上木工的課程。他們畢業之後未必願意去坊間的公司工作，風險也挺大的，而且他們也不是主修木工，未必願意去工場打工。也許他們會接一些大型道具的製作，但是如果是舞台佈景製作，我暫時未見到有年輕的一輩願意成立一間公司，專注地去造佈景。

瑩：　如果說設計那邊，是有的，但具體做結構的製作的，真的沒有。

安：　魯師傅其實帶過兩個徒弟。一個是小傅(傅國海)，但他現在已經不在這一行，另一個是黃乘風，也是魯師傅指名的。因為魯師傅的工作實在是多到接不完，他就找了他們來幫忙。黃乘風的公司也是一間從經驗中學習的公司，他在這一行也幫了我們很大的忙，不過他的公司主要接商業的項目，有時候也會做些舞台的製作。與他合作的時候，我們的角色不一樣了。當我自己有零散工作需要找他的時候，其實我是需要幫他想方法去做——我需要很精準地告訴他我的要求，然後他就去滿足我的要求。魯師傅則是反過來的，我只需要給他一張設計圖就可以了，然後那件東西就會做好，放在我面前，所以兩者合作方式不同。如果你問將來的模式會怎樣轉變，像Eric提到的，沒有主修佈景製作的學生，就沒有人去做，那麼大家的角色就不同了。我需要很仔細、精確地想好怎樣做，再交給製作人執行。沒有了魯師傅之後，就要靠自己繼續努力。

基：　HKAPA以前是有「佈景製作」的課程，但因為沒有人報讀，之後就沒有了。

朱：　但是香港對於製景師是有需求的，只是沒有人有興趣入行？

基：　我想這個行業不僅辛苦而且冷門，也比較難用傳統模式入行。很難得的是像魯師傅那樣認識這麼多藝團。全香港能夠恆常製作演出的藝團大約有一百多個，他們都會找魯師傅製景。如果要像黃乘風，甚至小傅般，可以在裡面分一杯羹，是很難的。除非你有相關的經驗，被人看見（你的能力）……我覺得，可能到最後，來來去去都是找那兩、三間公司的了。

安：　在香港真的很難。眾所周知，香港是多麼「貴」的一個城市。在香港做舞台佈景的盈利這麼少，風險這麼大……風險是指經常要做幾輪，時間又緊張，星期一入台然後星期日要拆景，而且很多製作都是要在星期日拆景，哪有這麼多人手？一間佈景公司在香港所遇到的挑戰非常大，也很難在香港養活這樣一群人，他們星期一和星期日工作，然後星期二三四五不用工作……如果是商業項目，利潤會高得多，通宵搭台，可能可以有幾十萬的收入。相對而言，藝團可以付出的價錢，真的……這個是生態問題。如果價錢再高一點，應該就會出現供應。

瑩：　其實魯師傅也提過，他的營運模式混合了商業製作和舞台製作，要互相補貼。如果成立一間佈景公司，你需要兩邊都有聯繫，否則生存不了。

林：　我想探討一下剛剛提及的教育問題。三位都是HKAPA畢業的。我想知道那時候HKAPA的訓練，是否銜接到你們工作的環境？你們入行之後，與後來的HKAPA畢業生合作，你們怎樣看教育的部分？你們覺得有沒有甚麼需要改進的呢？

基：　我讀書的年代比較注重實習。那時每個主科取錄四個學生，所以基本上學校裡面的製作，即使你不會全部都參與，多多少少也會幫一點忙。我們那時候還不是學位，是高級文憑證書。整個課程的設計，是讓一群喜歡這個行業的人來進修，希望可以有一個更系統的方法，讓我們在外面做事的時候，可以很快地跟上那個步伐。慢慢地，HKAPA的架構、課程設計，希望可以更加銜接海外藝術學院的方法，同時HKAPA在技術上的分門別類愈來愈精細，譬如燈光、音響、「stage management」（舞台管理），甚至細分到場地和藝術行政那樣去訓練。

後來一九九五年開始有學位課程，二〇〇六年的時候也開始有碩士學位。課程設計由實習為主的模式變為增加了學術性的課程，畢業生除了懂得做，某程度上也是在大學的架構下出身的。我會說，現在同學學的東西比我們多，但是因為他們涉獵更多不同課程，他們的實習沒有我們以前的那麼密集，也沒有我們以前包攬的項目那麼雜。譬如說SM的團隊，我們主力做SM，但還需要做道具，甚至幫忙處理服裝，不僅僅停留在「stage management」層面。現在的分工則很仔細，除非學生自己有上一些專門的課程，否則他們不會像我們以前那樣，也去縫製服裝、去油髹佈景、去做道具。我會說現在的模式是學習、教育，而不是我們以前的「學師」，八十年代的HKAPA比較接近職業學院。我是這樣理解的。

瑩：　我是二〇〇五年畢業的。那時候的課程，有八成是關於劇場製作的，其中不乏動手去做道具或者協助服裝方面。不過在我的年代，我們已經有一些在外面參與製作的機會。當時也有一些客席嘉賓來上課，Lena（李瑩）也找了不少實習機會給我們，例如在商場做活動之類的。我覺得當時的課程可以支持我們出來工作，因為我們有一些在外面做活動或者商業製作的相關知識，也有一些實戰的經驗，從小處做起。於是在我畢業的年代是有選擇的：如果你想做舞台，那你就繼續做舞台；外面的主題公園或者製作公司也有不少機會，這些都可以讓我們將在HKAPA所學的東西應用出來。當然，有一些觀念始終通用，無論是劇場還是主題公園，都有這些怎樣與人合作、怎樣管理一個團隊的問題，也是可以應用到所學的。

安：　我是一九九二年畢業的，HKAPA在我讀書的年代是非常「職業導向」的，當時市場需要甚麼人，HKAPA就訓練甚麼人。當成功滿足了市場的需求後，其實下一步就是向學術發展，因為它需要跟其他地方接軌，內容就會向那個方向靠攏。

我不能說現在的訓練跟香港的市場沒有接軌，只不過接軌形式有點不同。香港的市場也在變化，主題公園開展了一個新的市場，HKAPA也因而慢慢改變課程內容，可能囊括了做商業項目、主題公園等的教學。但如果考慮到本土的市場，那麼HKAPA需要考慮它本身的課程設計，怎樣使得它的畢業生可以具備本地市場的競爭力。當HKAPA走學術路線的時候，畢業生的實踐能力相對而言是低了……或者要問，他們是否可以有多一點經驗？現在學校是四年制的了，學生既要讀書又要做項目，確實有很多限制，大家都在調節和適應。我不會說它完全不行，但大家的需要有不同，要調節。

瑩：　以前我們是「二加三」的制度。

基：　現在的藝術學士課程是四年制的。從八十年代到現在的整個趨勢是多了很多學術元素。HKAPA剛建立的時候，確實是面向行業的，所以那年代的學生都是在行業內做了一段短的時間，想進修才到HKAPA唸書。現在的學生大多是中學畢業，然後有興趣——可能在學校做劇社，或見到外面的人做劇社，甚至曾經參與過一些專業製作——就到HKAPA讀書。

那個分別是很大的：現在的學生是只對行業有些微認識，然後想試一下，但我們那個年代，是在行業內工作了幾年，想再做好一點才去進修。如果論及熱情，以前的畢業生的熱度會高一點。現在的學生不是沒有熱度，只是他們浸淫的時間沒有那麼久，有些人畢業之後或會轉行。而且現在也多了一些商業活動，我們那個年代就是純劇場製作，我覺得這也是正常的。我回去HKAPA教的也只是劇場製作的課程，沒有怎麼教商業活動方面的。現在的課程除了考慮本地的需要，其實還銜接了外國的需要。我想這是一個變化的過程。

林：　你們提到現在的一個轉變，是科目分得很專門、很細緻，但是劇場是一個整體的藝術。這個分工變得仔細之後，其實有沒有甚麼影響？

基：　我舉例說明一下。我在中英當PM的時候，除了預算，我還需要管理時間、人手以及技術層面的東西。現在HKAPA有技術指導專業，專門解決技術上的問題。我們那個年代，因為沒有這個角色，PM便需要負責這一切。分工仔細，可以減輕PM以往的工作，讓他可以照顧其他範疇的東西，技術的就交給TD。TD可以作為諮詢者，與PM一起解決問題。這是一個好處。如果一個新人很專門地只做TD的工作，是否很困難呢？而畢業後可以找到甚麼工作呢？我看到的畢業生之中，有找到長期工作的，也有兼職幫劇團解決問題的，都有他們的出路。

基： 其實一個新人去讀技術指導專業，真的很難，現在收生也是很少，這兩年裡只有三、四個。反而舞台及項目管理的課程，我們可能會收八個學生，甚至某年收了九個。分工仔細，大家相輔相成，其實是在幫助這個行業。但如果分得太細緻的話，有一些專業未必有長遠出路，譬如讀燈光的，除了設計燈光，也需要包攬燈光技術的東西，例如線路怎樣搭。以前沒有「製作電工」，後期才有這些幫設計師負責配套上、器材上的工種。現在出現了這樣一個技術角色，在HKAPA畢業之後，就是負責幫設計師管理、執行技術上的需要。同樣，音響設計也是一樣。

瑩： 拆分得這樣仔細後，我也覺得有好處。譬如一些大型國際演出，都有這些專門的人才。當然香港的市場是否可以養得起這麼多的專門人才，我不確定。但是繼續發展下去，也許他們可以去海外或內地做一些大型製作，我相信都是有幫助的。但是說到目前的香港，普通的製作未必可以養得起這麼多專業的人。每請一個人都需要錢，現在的情況更多是一個人兼顧幾個職位。如果那個演出的規模大、預算大，就可以做到。如果預算允許的話，這樣的安排確實是效率更高的，每個人負責自己的專業，然後一起達成一個共同的目標。我們有時候找外國團隊做一些大型節目，預算高達幾千萬，這些製作的分工一定很仔細。因為可能只有兩個禮拜去做一個大型製作，那麼每個人就要很專注地去做自己的角色。希望有一天香港可以有這麼多專門人才各佔一席之地。

安： 我和Vicky的想法相似。現在我們談論到兩個問題，一個是「跨領域」，一個是「專才」。我覺得專才一定是有出路的。我負責場地，那麼有時候也會接觸到國際演出。他們真的是「國際級」的，那個「Technical Director」會告訴你他真的需要一個專門負責燈光的、一個專門負責音效的技術人員……原來現在不再是只有左中右喇叭的世界，有「foldback」（返送系統）、投影、環繞聲甚至沉浸式的效果，如果你不去找一個專門負責音效的人，是沒有辦法做到那個效果的。他們都在專門性上扮演很重要的角色，並且真的需要花很多時間去鑽研那門技藝，才能掌握並執行它，但是這種情況就只有在國際演出上出現。

香港的市場很小，很難有需要很多專門的技術人員的演出，也不會搞各種技術效果、飛天遁地……而且預算也不允許，所以導致演出的規模小。Candog（夏恩蓓）就是一個很好的例子，以前還是用左中右喇叭的時代，可能有沒有她參與的分別不大，但是現在沒有她就不行了，因為演出會有多個層次的喇叭，多個層次的音效安排需要配合「timecode」（時間碼系統）……如果只是由一個讀SM的人來負責是遠遠不足夠的。如果是小型製作的話，那些可以同時負責不同領域的人員就很有優勢。現在HKAPA的訓練是有好處的，但是學生們應該要明白，香港的市場需要跨領域的人才。我相信假以時日是可以的。我覺得需要觀察整個情況，而不是只關注課程設計。

潘：　剛剛提到HKAPA取消了木工這個課程，是源於畢業生認為沒有前景。魯師傅於二〇二〇年去世，而劇場也因疫情而停止運作了一段時間，現在才慢慢恢復過來。如果我們失去了像魯師傅這樣一個願意吃虧的製作人，你們作為技術指導，將會面對怎樣的情況呢？如果魯師傅確實聘請過這些畢業生，而目前學生又沒有相應的訓練，那麼這對於整個行業的影響會是怎樣的呢？

基：　魯師傅早年在火炭工場時，有請過一些在HKAPA讀繪景的畢業生，主要負責繪畫佈景。後期當他遷移到內地的時候，畢業生就更不願意到內地那邊工作了。一是因為需要離鄉別井，二是薪酬，內地的薪酬標準與香港不同。所以魯師傅廠房的工人絕大部分都是他自己在內地訓練出來的，不太有HKAPA的畢業生。因疫情緣故，演出暫停了一年以上，少了很多製作，同時HKAPA的學生也紛紛畢業。行業慢慢開始復甦，這個時間可能不止一兩年，而是需要三四年，才能恢復到疫情之前較為蓬勃的程度。無論是新的畢業生還是畢業了好幾年的，生活都很困難，尤其是新的一代。停頓了這麼長時間之後，對於人力的需求應該比較小。近年在魯師傅的廠房裡面還有多少人？沒有工作，怎樣可以聘請新人？所以接下來的路對於業界或者新的畢業生都很艱難。

瑩：　就我所知，魯師傅的公司仍然繼續在運作。如果海洋公園有項目，我們還是會找他們，但模式會有所轉變。因為魯師傅走了，他的公司未必可以有那麼多的意見反饋，所以我們在設計上會多走一步。也因為疫情的緣故，我們很多計劃會變得比較保守，未必會投放很多錢，所以聘請的無論是畢業生還是「contractor」，都比之前少了。我們必須先照顧本身的生意，也預計接下來的情況是困難的，可能需要一段時間才能恢復。也許疫情之後，新模式會出現，大家的行為也會改變。譬如來到海洋公園的人，未必會像以前那樣擁擠地看動物？或者他們想要更有自己的空間去觀賞？客戶行為改變，也會影響我們之後的產品。但短期內我們傾向保守，節省開支，未必會做很多大型的東西。

安：　我和Vicky思考的方向也相近。疫情的時候，大家都停下來，而恢復的時候，會產生新的組合形式。魯師傅的公司還在運作。疫情之後將會是一個「slow start」（緩慢重啟）。當年工作多到魯師傅的公司接不完的時候，有兩間新的製作公司出現，現在一間沒有了，另一間發展了起來。我自己會樂觀一點地想，當你重組的時候，大家對事物會重新計算。「Slow start」的一個好處，是對於資本的要求降低，如果人們有信心，就可以去接這些工作。項目商變得謹慎和保守，想法也有變化，那麼配套的製作環境也可以比較穩妥、循序漸進地重新開始。

另外，剛剛也提到將來可能有新的元素，令佈景的形式有所不同，這些也會導致新的東西出現，甚至可能有一些公司會自己推出資助，去做其他的東西。所以我覺得可以繼續觀望，保持審慎樂觀，因為一直都有供求，應該是有出路的。

瑩：　香港人是很靈活的，他們會看目前的情形發展，根據自己的專才去改變一下，之後再嘗試一些新東西，再投入這個行業。這個「洗牌」也是有價值的，大家停下來，想一想。確實會更加辛苦，但我也是樂觀的。

陳：　我想問一些關於場地的問題。我們之前有提到，魯師傅的精神，或者魯師傅願意吃虧去做，但實際上這本是政府應該提供的資源。八、九十年代有很多場地出現，接下來也會有新的場地啟用。剛剛大家也提到魯師傅願意適應場地的限制，就你們這些年的觀察，有否看到場地上改善了些甚麼，令魯師傅及他的團隊不用去「適應」，或者看到有一些比較好的趨勢，可以令二者更加相輔相成，出現更加健康、有機的發展？

基：　就場地配套而言，大約一九九九年，在葵青劇院、元朗大會堂，劇場開始有自動化技術，譬如轉台、電「bar」等等，尤其是「automated flying system」（自動懸吊系統），這些有助於節省入台的裝嵌時間，也減輕了「contractor」的人手成本。吊景的時間縮短了，是有很大幫助的。在Mark Taylor負責文化中心的年代，場地引入了技術團隊，出現了駐場SM、駐場TM這些崗位，帶出了一批真的受過訓練的劇場工作者，不再像我們早期做後台工作人員的那個年代，只能對著文職經理解說佈景的佈置。這個也是有改善的。最初只是文化中心，但發展至今，每個場地都有它的技術團隊，這令溝通變得容易了。

我剛剛入行時，曾目睹Tommy Wong（王志強）等人與場地經理吵架……雖然只是技術上一個很簡單的操作，但是場地人員無法理解，如果他們覺得危險就不會允許你去做。譬如你想放一把火，但他們會覺得你想燒了劇場；如果佈景蓋到兩、三層高，他們會覺得你的佈景會倒塌，諸如此類。我想，幾十年前是難的，那些文職人員不了解。自從有了技術人員之後，將更正統、更有系統的技術層面的知識帶進來，就不用跟文職經理去費唇舌，這一定是有幫助的。現在也有更多的HKAPA畢業生在場地工作，背後是一套系統的訓練，而不是像我們以前那樣，靠師父、朋輩去教。

瑩：　海洋公園的場地不是劇場那種實體的場地，舞台的語境未必適用，情況也不同。如果能夠讓魯師傅發揮的，大部分都是空地……我們有一個「marquee」(戶外大帳篷)，魯師傅就直接在裡面搭景，所以對於他來說就很自由，所有東西都在設定範圍裡面就可以了。我們的同事也都是從事這個行業，所以溝通上沒有問題。

安：　我之前在文化中心做駐場SM，後來去了沙田大會堂做駐場TM。其實香港的場地是一頭大象，要令這頭大象向前走一步，需要很多工夫和時間——你需要令管理場地的人明白原因、可以怎樣走、如果走錯了有沒有麻煩等等。他們有很多自己的考慮。怎樣去突破這些限制呢？我想，是一群HKAPA畢業生，或者一群行內從業者進入到場地體制之中，令他們明白，從而可以解構一些東西，包括模式、時間及經濟價值。

以前有很多人覺得，看完演出，就鼓掌然後離場，但後來他們才明白製作一個演出是需要很高成本的。或者有些人覺得我今晚看演出，早上入台就可以了，但這是不可能的。很多人停留在這個階段。我用了很多時間去解釋，我為何需要這麼多時間才能完整地搭起一個舞台佈景。譬如海洋公園「哈囉喂」，肯定要兩個多星期才能搭起那個佈景吧？不然，肯定不是你被那個佈景嚇怕，更多是你怕佈景倒塌吧？以前我們在場地，必須要爭奪搭景時間。如果一個演出需要花44個小時搭景，那場地就必須要提供相應的時間。有些外國演出是要求六十個小時的，那也必須給六十個小時。如果場地只給劇團三十個小時，那就不可避免地要通宵搭景了。十多年間，我感覺場地人員慢慢了解到背後這些運作所需要的時間。

另外，我的角色是令他們知道這個事情的市場價值是多少，不是十萬，而是三十萬。令他們知道那個產品的實際價值是多少，這很重要，將會影響到未來一個製作在香港究竟需花多少錢。我需要令同事了解這個數目是必須的，而不是他們去壓低一個藝團的預算，期望可以少用十多萬就可以做出來。當他們開始認識到原來價錢與質量是成正比的，才可以開始下一步的工作。

最後，除了搭建舞台的日程、場地設施的配套，還有就是它的市場價值。出現了市場和需求，才可以出現一個供求的循環。

基： 我補充一點。場地的其中一個困難在於香港沒有劇場相關的專門法例，我們只有一堆指引，而這些指引是劇場工作者經驗累積的產物，讓業界可以跟從。其實外國也是差不多。譬如像魯師傅進來做一個佈景，過程中間有很多不是受法律規管的東西，如果對方願意和你協商，那很好，否則會經常吵架。「為甚麼一定要用這種電線？為甚麼一定要這樣吊起來？」諸如此類。

十多年來，從魯師傅最初用自己的方法去建造一個佈景，到後來出現了Mark Taylor的指引，出現了技術團隊，有駐場SM、駐場TM的角色，慢慢開始有這些指引⋯⋯我們會對魯師傅說：「魯師傅，我們希望按這個方法做。」「魯師傅，上次那個方法還是有點危險，可不可以用一個好一點的方法？」我們所謂好一點的方法不是說法例。怎樣可以令一個「contractor」——魯師傅自己也有數十年的經驗——願意與我們去溝通，去走那一步，是需要一些力量和耐性的。當然我們也累積了多年的交情。正如Andy說的，魯師傅說：「今次做不了，下次啦。下次再做給你。」這個「來回」是很不容易的。例如用電是有一套標準的做法，有法例規管，但是劇場的很多技術指引是大家一起「搓」（協商）出來的，魯師傅也願意去「搓」的。

（圖一）中英劇團《禧春酒店》（1996，重演）

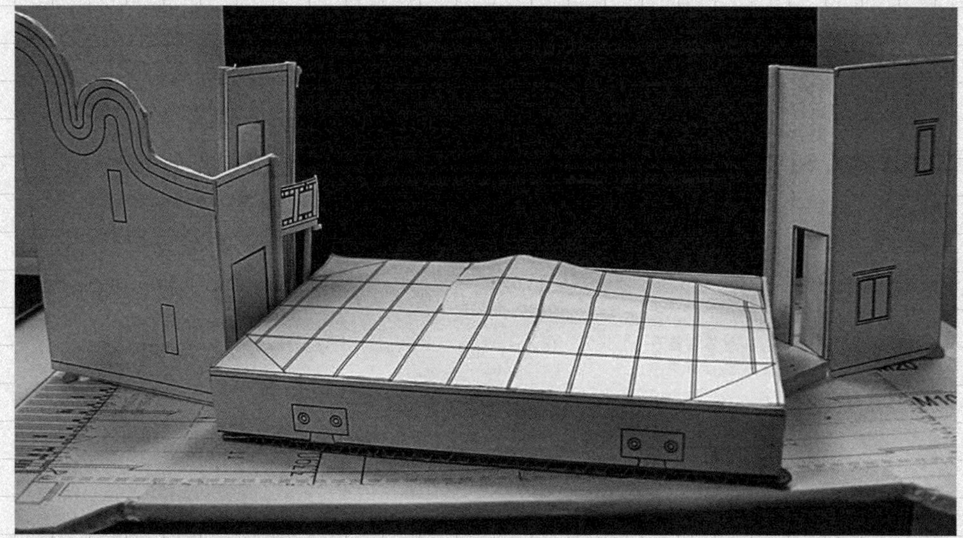
（圖二）香港戲劇協會《喜尾注》（2004）佈景模型

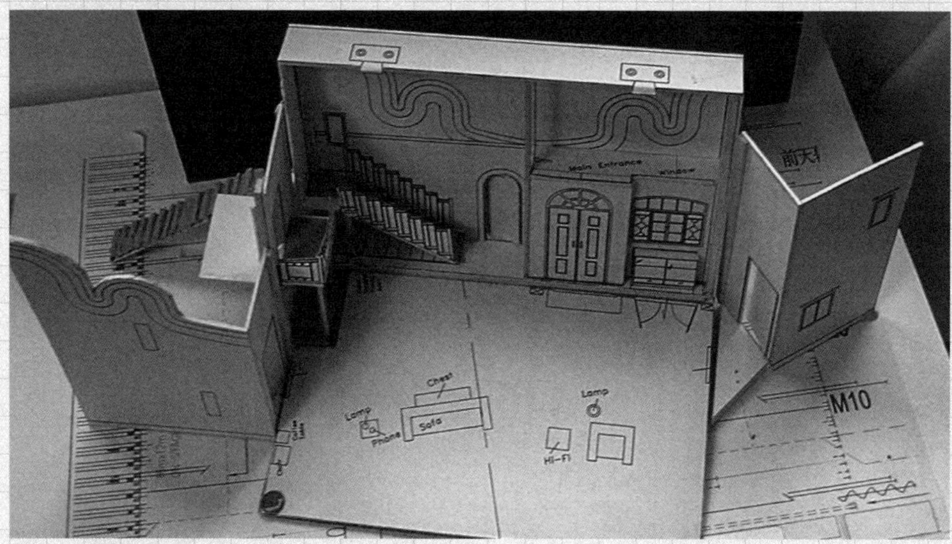

（圖三）香港戲劇協會《喜尾注》（2004）佈景模型

（前排左起）劉漢華、陳寶愉、徐子宜

如何傳承製景・製景工業的發展

日期：二〇二一年七月二十三日

時間：早上十一至下午一時

地點：香港演藝學院木工工場

訪問：朱琼愛（朱）、潘詩韻（潘）

分享：劉漢華（漢）、陳寶愉（愉）、徐子宜（宜）
（按發言序）

整理：符嘉晉

潘： 你們第一個跟魯師傅合作，或是和他合作過最難忘的作品是甚麼？

漢： 第一次跟魯師傅合作挺難忘的。一九九三年時我還在玩業餘劇團，第一次大膽參與一部劇《我對青春無悔》的佈景設計（圖一），那時候第一次跟魯師傅坐下來討論佈景的製作。當時還沒有「AutoCAD」這個軟件，畫佈景圖時只用一塊繪圖板夾著一張牛油紙，從零開始，自己用鉛筆和尺子畫下去，然後拍下照片，再跟魯師傅討論。

愉： 我跟魯師傅第一次的合作應該是在一九九二、九三年，那時我仍在香港演藝學院（HKAPA）讀書，如已畢業的師兄師姐有校外演出的話就會去幫忙。那是魯師傅在香港舞台製景界裡真正開始活躍的年代，因為再早期在香港製作佈景的，主要是另一位名叫慶強師傅。後來慶強都不大承接香港的演出了，之後的佈景大部分都是魯師傅以及另外一、兩間承建商製景公司做的，而大規模的演出都是由魯師傅他們負責，因為那個年代，魯師傅的美工相對較好。

宜： 二〇〇五年我在「香港芭蕾舞團」（港芭）當技術總監時，當時的藝術總監謝傑斐（Stephen Jefferies）要做舞劇《蘇絲黃》。素來香港的受資助團體沒有太多資源，港芭亦如是，魯師傅當時接下這份工作時都預料到資金的狀況，但他對這個首次由外國人創作、有關香港的舞劇念念不忘。演出中有一幕夜總會的場景，需要設置一些吊燈、亮閃閃的梯，又要有一隊現場樂隊（圖二、三）。而魯師傅在有限資源下提供了很多解決方法，譬如，吊燈全部用膠杯製作，把它倒轉後切去底部，放一顆很小的「米仔膽」（編按：小型燈泡）進去扮作吊燈；為達到樓梯亮閃閃的效果，他利用打碎了的鏡膠，再加些閃亮的、銀色的紙，做了一道兩層的樓梯。這些都讓我們節省不少成本。

合作時間久了，我覺得他真的很喜歡製景，所以其實你們給他成本價去做也好、或者是給一百元卻想要一百二十元的製成品，魯師傅都會盡量做好。他最大的困難就是沒人替他畫分件圖，因為他不懂得畫，他常常問我有沒有畫圖的人可以介紹給他。

愉： 所以到二〇〇〇年後，他聘請了兩、三人替他畫圖——包括Eric（蘇國威）和阿Lo（雷秀玉）。也因為他除了劇場，亦多接了一些大型商場或香港海洋公園（海洋公園）的戶外演出或裝置的項目。戶外的製作要跟政府部門處理很多申請審批，例如要申請公共娛樂牌照，需要一套較完整及細節繁複的製景圖紙，所以他後期聘請幫忙畫圖的人通常是負責處理商業項目的。

至於劇場的製景圖或分件圖，即使PM幫他畫好分件圖，他也不一定會跟著做，因為他會考慮物料尺寸、裝箱運輸等，所以很多時候還是要倚靠設計師與PM跟他直接溝通，以尋求雙方都可行的方案。

宜： 可能因為他知道港芭的佈景有時會重演或巡迴演出，一定要保存兩、三年，所以情況比較好。

愉： 他知道HKAPA有教授相關的畫圖知識，所以他也有問過我們有沒有興趣加入他的公司。但當時他的廠房搬到了觀瀾，他也知道我們會很難適應內地的工作模式或是工作環境。所以問完後他也直言：「你們不會做的，在這裡工作那麼辛苦。」其實他也不是沒有想過這些問題。還有他會覺得我們到廠房做是大才小用，會說「你們在香港有你們的發展」。

而廠房搬到內地又延伸了另一個問題：廠房在內地，造景的是內地師傅，佈景運到香港，在舞台搭景的是香港師傅。香港舞台演出入台只有四天半，如果你搭不成這個佈景或者做錯了，他們就會覺得為甚麼你們到廠房看佈景的時候不提出問題。PM到廠房看景的時間不多，一至兩日內便要密集地給修改佈景的意見，之後便會回港，我們多數會在紙上寫下要修改的地方，但他們通常會因為各種原因而不會全部都改，佈景運到香港才發現有問題，就會有很多這類爭拗。

宜： 有次我親身經歷，阿Lok（樂寬會）和阿二（李紅寶）來標記我們的佈景要如何分件，以便把部件放進貨櫃，可惜師傅們沒有跟從指引。我有跟魯師傅說過這個問題，其實是要解決的。

朱：　你們一向主力做劇場演出，可以分享一下與魯師傅合作商業製作《雪狼湖》的經驗嗎？

漢：　剛才說到廠房辦事跟香港搭景上的磨合，有時候真的比較困難，但是我那次做《雪狼湖》在內地的巡迴演出，卻沒有這個問題。為甚麼呢？因為那個佈景在深圳做，在內地巡迴演出都是同一班師傅入台搭景，即使是這麼大型的佈景，過程卻很暢順。我們試過在室內運動場、露天運動場，甚至在爛地地盤搭景，就算在不同環境裡，他們都是用三天半的時間就搭起了一個很大型的佈景。所以，如果製景和搭景的都是同一班人就好了。

愉：　是的。我近年幫林奕華的演出做內地巡演，的確如果是由造景的人搭景，他們會較為清楚那個佈景的構造有甚麼要注意的地方，他們在搭景和拆卸上的工序相對容易處理，如果有一個「carpenter」在，有甚麼地方需要修改都會更方便。

我做《雪狼湖》的時候是很早期的，那時我剛畢業不久就參與這麼大型的演出，佈景的總設計師是何應豐，PM及後台人員大部分是HKAPA畢業生。這個演出的佈景由不同製景公司負責製作不同部分，例如底台、機動、佈景美工等，整個佈景直至入台當日才第一次全部裝嵌在一起。最記得把佈景搭起來時，已經發覺有些部件配合不了，或者用不著，要拆下來或作調整，有很多問題要在演出場地現場即時解決。

雖然香港體育館這麼大，後台好像有很多地方，但其實放不下很多佈景。那次印象很深刻，那時候用了數晚通宵來搭景，那些用不著的佈景就放在紅磡火車站對面的閘門側邊，最後要叫垃圾車來丟棄。那次之後，魯師傅便開始研發機動及機械操作，包括底台，加強佈景製作。

漢：　加上廠房遷往觀瀾後，廠房大了，就有空間研發有關的機械。到了二〇〇四年，他在機動方面的處理已經很成熟，那時候的機動佈景都是由他一手包辦，變得很方便，有時甚至可以在他廠房裡排練，遇到甚麼問題就可以盡快解決，不用去到演出場地搭景才知道有問題。

朱：　因為土地問題，香港未能夠設立廠房。大家覺得如果開設廠房的話應否選址香港？我們如何才可以造就這件事呢？才可以令大家將來的工作更容易，或者有更多的想像。

愉：　我也有跟魯師傅談過。我覺得這不單是土地問題，其實近年內地薪金、租金、材料和所有消費都漲價了很多。以前搬遷到內地除了可以有很大的地方興建一間大廠房外，薪酬便宜也容易聘請人手。另外就是材料，其實香港很多材料都是從內地運來，在內地設廠房就能節省這些運費，但內地近年不論木材或鐵材都漲價得很厲害。

你說到香港設廠，如果我到坪輋租一間地方很大的廠，但有沒有這麼多人入行從事製作佈景這件事呢？說真的，我都嘗試過為一道佈景在香港打價，在香港製景的成本實在太高，香港一般的演出預算有限，是沒有可能做到的。譬如早在十、十五年前，有二十萬做一台大型場地佈景已經算頗充裕了，但現在我在內地用二十萬卻甚麼佈景都做不到。更不用說在香港，香港的薪金就算只多三分之一，地方亦沒有這麼大，像阿都（都國強）他們在一些小工場製景，地貴租貴，加上內地運來的材料，諸如此類的開支亦都很昂貴，但我們的預算就只有這麼多。除非真的很大規模、很商業性，做一個大型演出可以用上數十萬。

我聽說過有些演出用上七位數字的預算去做佈景，但這是罕有的，香港平均都是用三、四十萬做一個HKAPA歌劇院規模的場地佈景。另外，我覺得聘請人手都很難，始終內地真的比較多不同類型工種的技術人員，香港要聘請一個懂得做佈景的木工、鐵工的人是不容易的。

宜：　我在港芭任職時期，都有跟其他師傅談過這個問題。那時候我們有一個古典劇組，古典的設計有一個形式，桌椅的設計每次都是一樣的，都是用棕色再加些金色髹上去。我都有想過是否應該在香港找一直有做這類工作的師傅。我們所有道具、需要用到的東西像是傢具，很難找到香港工場願意做。做古典的東西，你是不能夠買回來改造的，是要整件造出來，都是要由魯師傅或其他師傅做。

二〇〇八、〇九年左右，我試過在香港找一間商業公司做二十多張椅子、桌子，相比由魯師傅做完再運過來，可能要貴五、六倍，甚至七倍的價錢。魯師傅做的，我們要常常到內地親自監工，就算少許地方有問題，都會要求廠房修改。因為舞蹈員在上面跳舞，衣服有時會很臃腫、有時要提起來，有機會會勾破，這些細節就要討論。我都有跟魯師傅說，港芭如果繼續走古典路線，當他退下來時，都不知道可找誰造景了。

即使在香港有再大的廠房，要在哪裡掛起佈景板去上色？那些全部都是問題，即使吳光、黃秉風他們都不願意做，不是沒有地方做，而是畫背景時有少許出錯都會被罵，又沒甚麼錢賺。歐洲劇團的佈景全部都是人手繪畫及上色的，用網加帆布，沒有人去縫製就沒有人做。後期魯師傅開始退下，以前那些手藝好的師傅又不做了，那縫線全歪掉，看著那條線不是直的，又要全部重做，掛起來逐一檢查。香港已沒有師傅做。

愉：　因為真的很看那個美工師傅的手藝，近年有些設計師唯有用其他方法減少錯誤，減少親手繪景，而改用印刷。我想魯師傅離開後，真正做大型美工的人就沒有了。以前他廠裡一些師傅離開後其實已經不同了，有些大型的設計都要魯師傅自己親力親為。我相信以後更加不是那回事了。

潘：　你們剛才說魯師傅自從《雪狼湖》後開始做一些技術性及機動的東西。在這方面，你們會不會有些經驗，包括在廠房遇到的困難，或是一些很複雜的設計，你們跟他討論後想到一些好的解決方案？

愉： 魯師傅後期做機動，我們常常笑他是OEM（代工生產），是內地最有名的。我只要告訴他我在網上或者其他地方看到別人做的東西，他就有方法給你做一個魯氏版本出來。記得那時《賈寶玉》有一場景要下雪（圖四），外國有間公司的製雪機挺好的，最終他就用他的方法、找他們做電工和機器的人替我們造那些製雪機出來。

另一個是「萬向轆」，我們在外國看到挺好的，它的輪子可自由轉動，因為訂製車輪很貴，於是他拍下照片，就找人去造「萬向轆」。可以說他們的「研發部門」都挺厲害的。當然這些新研發的機動要不斷完善，都需要大家一起去試。我們最初五、六年的演出，大家都要預留時間去測試那些機動部件。

漢： 第一，他強在願意嘗試。第二，就是他會找一些合適的人跟他合作。我最記得他發展機動佈景時，他說他弟弟在上海讀機械工程，那時他特意叫了他弟弟到深圳幫忙，有些機械是由他想出來的。魯師傅是我認識的唯一一個有美工底子的製景公司老闆、佈景師傅，可能其他的師傅木工、金工、電工強一點，但唯獨是他在美工方面很強，因為他是繪畫出身的。有時候跟他談一些很「土炮」的方法，一起試試不同的做法，他都會接受，不會說「我很有經驗」便不聽你那一套。

愉： 是啊！很多時候跟魯師傅談完之後，他真的會嘗試你建議的方法，他還會交帶廠房的師傅說：「她想要這樣的效果，你就按她的方法做吧。」

潘： 剛才提過魯師傅的技藝很難傳授給他人，你們可否分享一下和其他廠裡的師傅合作的經歷？或者魯師傅有沒有提起過技藝傳承方面的困難？

宜： 我是二〇〇五年後才常常去內地廠房監工，那時只剩下徐師傅（徐連平）和魯師傅，他弟弟那時還有去幫忙，之後就沒有了。其實那個年代內地的薪金很貴，他廠房裡的小師傅常常變動，所以我感覺是他傳承的對象別無他選，魯師傅除了可以相信徐師傅之外，沒有其他人選。

愉：　他自己也常常說，他知道從事這行業是辛苦的。他有兩個女兒，他都不期望她們會接手。跟魯師傅共事的人對魯氏美術製作有限公司（魯氏）絕對有感情、有歸屬感，但是他們未至於會肩負起延續魯氏對佈景製作的信念。魯師傅會覺得他的下一代有他們自己的事業和發展。他的小女婿因為本身有美術工程的背景，都有去廠房幫忙打理業務，但是要承傳魯師傅的手藝並不容易，因為始終做佈景，無論木工、金工、鐵工、電工也好，都是要從小到大訓練出來的手藝。我亦相信其他佈景廠房都會遇到同樣問題。

我相信他們都知道要找人承傳，接手那個佈景廠房都不是容易的事，加上他們那一代未必會想到「承傳」這個問題，也不會去想「如果我不在的時候這行業會變成怎樣」。雖然魯師傅一直都希望當他不在的時候，他的廠房可以延續下去。

宜：　他跟我談這個話題的時候，他的小女兒還未談戀愛，所以阿游（蘇紹文）還未出現，只有徐師傅，貴興(楊貴興)剛剛進來又很快離開。有一次魯師傅問我，把廠房給我好不好，我說不好，接著他說，那你幫助我吧，我說：「魯師傅，我看不到可以推掉的理由，但是我沒法子，我不懂這些工作。」

他以前報價都是用毛筆手寫的，化開了，看不出這個字是零還是甚麼，他說那報價就不如這樣少一個零。魯師傅常跟我說「劇場是要幫助的」，他從別處賺回成本就可以了，其實資金是很重要的關卡來的，他不知道可以把這門工作交托給誰，他這個事業養活了很多人，這麼多人的生計都仗賴著廠房，所以他其實很擔憂。

愉：　近年可能因為他年紀大，以致未能像早期一樣凡事親力親為，對他們的製景質素也有影響。以前大型機動佈景我們都會找魯師傅，但近年他已不是唯一的廠房，其他佈景公司處理機動及造景的技術都愈趨成熟。

宜：　即使這樣，魯師傅的技藝還是很難承傳的。我覺得其實魯師傅都很想承傳那份工作精神，我覺得那是一個精神，而不是一個技術。

潘： 恰巧魯師傅離開的時候正值疫情蔓延時，疫情下很多表演暫停了。現在藝團開始慢慢恢復製作，政府又大力推動大灣區發展計劃，加上更多新的表演場地落成啟用，更需要像魯師傅的人才投入。但魯師傅離世，很多技術可能都會隨之失傳，業界甚至不知道怎樣繼續走下去。你們有沒有一些建議給香港的業界或是將來的同學？

愉： 近十年，香港的劇場或者設計市場的確不同了，現在有很多3D美工，都會依靠機械製成，出來的質素都很高。我覺得全世界是會進步的，不同的廠房會投資不同的技術去迎合製作需求。

漢： 接下來的發展，我覺得最主要是營運環境的影響。如剛才Bobo（陳寶愉）說，現在我們做十多萬的佈景其實沒甚麼看頭，如果是三、四十萬就會好一點。但是說真的，香港有多少藝團能拿出三、四十萬去做一個佈景？

剛才亦都有提到做劇場佈景的不只是魯師傅，還有其他製景公司，他們仍在做劇場的製作，可能心裡想著劇場就是要倚靠他們的幫忙。當然你不要讓他們虧本很多，他們要賺錢的話，還是要靠一些大型項目，但是一年又能做多少個這些項目呢？所以說這是一件挺令人頭痛的事。或者魯師傅心裡也想最好下一代不要接手，這麼辛苦的工作，自己喜歡而已，不代表下一代也喜歡。

愉： 受資助藝團要造一個佈景，先不提場地大小，通常是二十萬做一個大型或者中型劇場的設計，當製景公司去報價，尤其是對象是受資助藝團時，多是價低者得。我覺得對魯師傅最不公平的地方，在於很多時候有些半商業式的項目，可能真的不夠製作預算去找設計師想用的製景公司，於是就去找魯師傅，然後魯師傅仍會不賺錢地幫忙做，我覺得是不應該的。

我們常說人工、搭建、拆卸、運輸加起來已佔預算一大部分，真正屬於做佈景的材料費不多，其餘的你大概計算得到。我覺得政府撥給藝團的預算跟我剛畢業時九十年代一樣變化不大，追不上通脹，每個人都得不到合理薪酬待遇，逼使他們同一時間每人要承接幾個項目才能維生，所有現狀都是不健康的。

愉： 但倒過來，因為藝團接受那份資助的預算，之後唯有向不同的製景公司壓價。不單只是佈景，例如燈光，租用電腦燈根本已經是大趨勢，現在還有哪個演出會只單用場地的基本燈光？那些場地的設備根本就不足以做到想要的燈效，演員佩戴麥克風來演出已經是必然的，你一旦有麥克風設備，你就一定要配備自己的技術人員，以及音效系統。其實整個預算一直不合理，每次製景公司都預料得到要虧本做劇場的製作，那我們的劇場是不會有進步的。他們會覺得做劇場的工作只是當「幫個忙」，或者當作是一份雞肋的工作。但是他們其實生存不到，他們也要靠一些高價工作去補助，這樣對於別的行業都不公平。

為甚麼演唱會或者展覽的佈景預算是劇場的三倍？為何接劇場製作時製景公司要矮化自己？為何做劇場（製作）就要算便宜一點、去幫助藝團？這些事我想不通，有沒有人可以反映？我曾說過很多遍，你給出這樣的預算，製景公司一定能給你辦妥，但是那個質素又會是如何的呢？他們知不知道這樣做，大家只是在「賣人情」，或是別人要虧著錢做，大家知不知道呢？

漢： 這個是死症來的。不單是錢，大部分藝團都是靠著政府資助，另外還有場地，多難才訂得到一個為期兩星期的場地。一星期做製作，星期四開始首演可以做六場，即使票房暢旺也好，也只是收支平衡而已。一個劇團何來盈餘呢？我要有盈餘才可以發展下一階段的製作。劇團永遠都停留在租用政府場地：「你的劇團是拿這類型的資助，那麼就給你一個星期的檔期。」那我永遠都只能上演一個星期、永遠都沒有盈餘再發展得好一點，不要說大灣區，亞太區都沒有用。為甚麼？因為我沒錢做。

我最近有一個想法，如果我要成立一個劇團，我要能夠營運，就不要想著發展高科技，回過來做最原始最簡約的東西——戲班。政府只資助佈景很少的開支，那麼那些佈景我自己做，我覺得靈性上是進步了，因為甚麼都是靠自己解決，變了不是用錢去解決。我覺得到了最後，究竟政府怎樣去看待這個媒介？可能場地上它要用一個進取、先進的管理方法，但是回過頭來，你應要把作品當作工藝品看待，你不要當它是產品，那些不是塑膠。

宜： 我覺得香港經常只能租用場地一個星期，才剛剛開始就結束了。如果幸運的可以重演、巡演，作品算是可以累積。但是在茫茫劇場當中，很多作品只能演出一個星期，然後就沒了。有些演出剛剛才搭好的佈景，過了一個週末就得拆下，然後就送往將軍澳堆填區。以前我都有跟魯師傅說這個佈景做得很好，他很多時候都會以自己做出很漂亮的佈景而感到自豪。他做過這麼多佈景，很多都有神來之筆，丟掉真是可惜。幸運的如林奕華先生的佈景都算是可以保存著，然後巡演到不同的地方，一道佈景能夠演出很多遍，它的價值就已經不同了。但是很多都是倒過來，有些團體願意給你三十萬去做佈景，就算不是一個星期，那三個星期後那份佈景不也是去了堆填區。

潘： 剛才提及的問題不是今天才出現，業界都反映了很久，把佈景不斷地丟棄到堆填區，很浪費。因為香港的地租高昂，你存放還比丟掉再重做昂貴。之前有人提過，解決辦法會不會就是在香港設立工場，有一個儲存佈景的地方，可供給整個行業使用？當然很多朋友說不可能，其實是不是真的沒可能？有沒有人計算過所需的開支出來跟政府爭取？

宜： 我十分肯定港芭曾經計算過這盤帳目。當時在油麻地有一個來自善心人士贊助的地方，佔幾層高還可以加建。當日的計劃叫「One Home」，當時的行政總監吳杏冰女士多年前也有為此努力過，恰好有機會，想把地方改成長期工作空間，至少我們的桌椅不用搬來搬去、又不用每次用完放回貨櫃，再打開貨櫃就是為了取出三張椅子。我覺得這盤帳是算得過的，我當時只是一個小小的主管，計算完大概想到一些佈局，當然沒有說要有多少個工作室、黑盒劇場、圖書室、倉庫、舞者的休息室。但是計劃到了這個階段已經沒有後續了。如果承接你剛才的問題，香港為甚麼沒有師傅造景？不只是地價，連營運也行不通。你申請一筆資助，政府給你的一般會比原來的預算削減四分之三，沒有一個團拿到原本需要的預算，會拿到一半資助的團體可能很少，那你能給師傅多少錢呢？接著的營運，沒有生意你怎會去冒險，就算多麼喜愛劇場都不會去冒險。不然就像魯師傅那般，開一間大的廠房，但在香港發展這樣的地方是很難的。除了由政府牽頭，我看不到有其他單位可以做到。

愉： 當然最理想的是每個劇團有自己的劇院，而每個劇院內有自己的製景工場和儲存佈景的地方，否則跟現在的營運模式分別不大。例如，我會把一些有機會巡演或重演的製作佈景及器材，儲存在貨櫃箱中，好像林奕華的演出，在全盛時期可能有三個巡演的演出佈景在貨櫃裡。但最大的問題，是我不能隨時拿出來用，加上存放時間愈耐，佈景損耗愈大，例如夏天潮濕及高溫的天氣，對存放的佈景及器材影響很大，拿出來再用的時候要做很多修補工作才能再用。再嚴重的情況，是刮風下雨時，如果你的貨櫃不幸破了一個洞，雨水滲入導致佈景發霉、鐵器生銹、木具受潮等等，情況慘不忍睹。最理想的當然是儲存在一個恆溫的、乾爽的地方。

宜： 我自己的感受是，整個行業如舞台界、演藝事業，其實是很鬆散的，而很鬆散是因為自顧不暇。就算你有這麼大的宏願，自己做也很吃力，其實都很難辦得到。有誰可以？第一，他的精神和他對這個行業的信任要很澎湃，要瘋了似的走出來說「一定要為整個業界做一些事」。我覺得只是抵抗外敵都不行了，更何況要一起做一些事，這件事太遠了。

愉： 所以現在說投放一些資源在藝術科技，倒不如做些基本的，例如排練場地、製景工場、儲存佈景的地方。我認同的，我們連一個演出都沒有很好的基本支援。

漢： 所以我說發展應該要簡約，不簡約就沒得辦。

潘： 就著簡約這回事，你們剛才提到的一些事情跟訓練也有關。你們心目中最理想的行業訓練、培訓是怎樣的？

漢： 以前香港提供行業訓練的只有HKAPA，近年多了其他院校，譬如香港專業教育學院（IVE）。但是現在社會的發展，所謂的管理學，就是將工序分得很零碎，好處是我不需要這個人很全面，只要他懂得一件事就行了，必要時要找人替補就很容易，但是人就變作了一件工具。

我覺得HKAPA有一個好處，就是它的學習環境，學生進來至少唸四年，他們除了上課之外，就是親身參與製作。譬如很簡單教怎樣寫舞台技術流程，工序離不開佈景、掛燈、「fo燈」（編按：調校燈光）、音響，在填鴨式教育下，社會上的學習環境會訓練到學生說：「你把答案告訴我就行了」，但問題是我們這個行業是很多變的，不同的製作會有不同的次序，如果你不理解細節，是無法做好的。例如你去到場地，就在台上搭佈景，同時間先在前面掛燈，然後才發現原來那個場地先掛燈就搭不到佈景，香港大會堂和香港文化中心大劇院便是如此。這些東西他們不留意，對不同場地的了解不通透，是很難做到的。我覺得教學不難，因為要教的材料都在，困難的是要跟社會訓練的思想抗衡。

愉： 有時候面對新世代的人，你未必會認同他們的想法，但是你要嘗試去理解他們為甚麼會這樣想，否則永遠都不會談得攏。

其實，將來也不可能永遠只是我們這一代承接所有的演出製作，一定要交棒給下一代。當我們累積一定經驗之後，就知道其實要完成一個演出，有一百種方法，我會將自己的工作理念及方法跟製作團隊分享，希望他們理解要成功完成一個製作，要考慮的細節實在有很多。我很希望這種思維模式及工作理念可以承傳下去，以至未來無論大小型演出，整個團隊都可以按計劃完成。

但是那些東西不能只靠口述傳授，你只可以親自做一次，讓製作團隊親身經歷，原來這樣做可以得到一個這樣的成果，他們才會明白你為何要做這件事。我覺得基礎理論是需要的，我們在讀書時都是理論先行，幸運的是我們那個年代真的會參與很多校內製作，亦有機會出外接觸一些專業演出。如果現在允許的話，我都希望大家或者HKAPA真的提供多些機會，讓學生知道行業運作的實際情況。

朱： 回到剛才討論到的政府資助影響行業發展方向的問題，你們會否覺得劇場界是建基在一種蓬勃的假象，或是在一個不健康的環境上發展？

宜： 環境一直都不健康，香港藝術發展局（藝發局）這麼多年來，對藝團的資助額從來都沒有變大過。它都是很被動的，錢從哪裡來？不就是民政事務局（編按：於二〇二二年重組，分成民政及青年事務局和文化體育及旅遊局）。那民政事務局是誰的？不就是政府。那個不健康是大家即使賠錢都繼續做。做了這麼多年，應該令劇界健康的人，或者應該珍惜劇界的人，仍然會覺得無論給你們多少資源你們都會做、都能辦得到，就是看扁你們這些熱愛劇場的人。

其實那個不健康是來自於不健康的領頭人。我覺得沒辦法，所以對我來說香港的業界是鬆散的，那個鬆散是只要大家能夠做到自己熱愛的事，大家收支平衡，不要虧本，沒有欺騙，你開心我又開心，那就行了，很難聯合起來再去爭取些甚麼。

愉： 其實是要靠政府。但是政府怎樣看表演藝術？他們的定位是甚麼？他們到現在仍然將表演藝術定位為「文娛康樂」的一部分。我們業界的持份者當然會覺得表演藝術很重要，沒有創作是不行的。沒有表演藝術，沒有那個過程和平台是不行的。

當初有HKAPA已經很好了，讓他們知道原來劇場工作者是需要培訓的，因為表演藝術雖然是「文娛康樂」，但在那時候的願景，都希望能夠把它發展成一個行業。但是他們怎樣看待這個行業，他們會否關心有沒有觀眾進入劇院看演出？是否明白表演藝術對人的生活影響很大？如果他們明白和認同，他們理應發展香港的表演藝術。

靠政府的話永遠都會處於兩難狀態，可以說總好過沒有資助，但受資助的同時在某程度上財政也要受監管及掣肘，真的要從兩個方面去看。我覺得最大問題是他們給的資助真的讓我們難以生存，而部分團體靠著信念，在這樣的資助下仍然艱難地持續了三十年，只是看有沒有人有能力去溝通，去改變這個制度。

但是現在沒有溝通的渠道，有甚麼渠道呢？根本沒有溝通的渠道。即使大規模如九大藝團，他們總是「你自己搞定吧。你們藝團從來都沒問題，我們為甚麼要給你多些資源？」或者「我為甚麼要考慮這麼多人性化的事？」他們從來都沒有反省過這行業的人性化不單只是創作，而是讓整個社會有一個抒發的渠道，「總之你們幾十年來都沒事，再三十年都沒問題的，總之就是你不要麻煩到我」。不只是香港，我看不到有哪裡是不靠政府的、有哪裡真的可以私人化運作，即是可以厲害到令表演藝術在當地發展得更好。

如果能夠提供一個健康的環境，我覺得靠著政府或者由政府牽頭，讓他們可以成長自立，到行業環境夠健康，便不須再倚靠政府。歐洲比較多文化累積的地方城市可能真的是這樣，但是起初都是要先倚靠政府，靠著政府給出很大的資金，到藝團真的有能力可以自己獨立、自負盈虧，行業環境夠健康讓他們可以繼續生存，那就很理想了。

漢： 我們是被圈養的一群，可以說過去三十多年都是這樣的。剛才Bobo提及到資助方認為表演藝術是「文娛康樂」活動，你想想看一個藝團的芭蕾舞演出，和大眾跳社交舞，都是用同一個場地。我在另一個訪問都有說，政府說投放多少資源興建一些設備完善的表演場地，但最後讓人在那裡唱粵曲。大家都是藝術，粵曲、社交舞也可以租政府場地，但是我想做一個演出，我想兩星期辦12場，卻又拿不到檔期，那到底怎麼辦呢？是不是應該劃分得再清楚一點。

漢： 政府有社區中心，為甚麼那些活動不可以在社區中心裡舉辦？為甚麼一定要在一個這麼大型的表演場地去辦，令其他的表演藝術資源不足？現在我會「阿Q精神」一點，看到政府一直興建很多不同的東西，例如東九文化中心，將來還有北區文化中心，即是粉嶺。而西九文化區（西九）一直在興建，多了場地，其他藝團租場地會容易些，但相對會不會因為興建了這麼多場地，現有的場地便要清拆？

所以我覺得政府要想想這些政策。那種圈養就是他不讓你賺錢、不讓藝團有盈餘，資源給你多少就花多少。剛才也說過，沒有盈餘又怎樣去發展。所以回過頭來，不如想一個方法去「放養」，放養的意思是你給我一個環境，推我到草原上，那個草原足夠廣闊就行了，我會自己賺錢。有一次我辦演出，我跟別人說你有錢也沒有機會虧蝕，因為你租不了場地來演出。

所以我覺得如果政府再開明些，不妨想想怎樣將場地的使用價值提高。譬如，我作為一個藝團去辦製作，會有信心辦兩個星期12場，你就給我場地檔期，我會自己看著辦。當然你可以訂立很多不同的政策，你不要每次都說12場要爆滿，我寧願你有扣分制，例如第一次租場的藝團如果演出沒有九成票房，下一次就不會這麼容易租給你。這樣有些藝團可以成長，而不是每個人都被你掐著脖子，做四、五場，永遠都吃不飽，真的很慘。永遠都是辦完一次演出，剛剛好收支平衡。

愉： 說到租場地，剛才你（劉漢華）說到的例子很多都是政府場地，香港的私人場地其實真的不多，除了HKAPA，還有香港藝術中心、西九。這些只不過是一些中型劇場和大型劇場。其實我們的選擇不多，再小一點的場地也沒有。一個中型劇場不夠供應大部分人的需要，這是為甚麼牛池灣文娛中心、西灣河文娛中心那些場地還繼續存在。為甚麼還有文娛廳這種場地，就是因為要有一個中小型的劇場、因為那個規模比較適合中小型團體的演出性質。他們不是沒有能力做大型演出，而是沒機會，永遠只能夠停留在一個小場地去做小眾的發展。

至於承傳業界那件事，我常常都覺得香港的「埋班」制度很奇怪，因為大家永遠都只跟熟悉的人工作，不熟悉的就永遠都不會一起共事，就是這麼一回事。

甚至是設計師，我常常說理想的情況，是因應那個演出的性質去找適合的設計師，很多設計師都很有能力，他們可以進一步發展他們的創作，不只是在一個小型劇場去做他們的設計。其實有多少機會可以讓他們到一個大型劇場去試驗他們的新設計呢？這其實都有很大影響。燈光亦如是，有多少製作會有資源去租用電腦燈？有哪個地方和佈景可以給他打燈？其實不是沒有人才，每年都有這麼多設計師畢業，但是業界有沒有給他們機會呢？

（圖一）灣仔劇團《我對青春無悔》（1993）

（圖二）香港芭蕾舞團《蘇絲黃》（2006）

（圖三）香港芭蕾舞團《蘇絲黃》（2006）

（圖四）非常林奕華《賈寶玉》（2011）

（從左起）馮家瑜、王奕慎、孔德瑄、鄭慧瑩

大樹遮風擋雨：承傳魯師傅精神

日期：二〇二一年七月十六日

時間：下午一時至五時

地點：國際演藝評論家協會（香港分會）辦公室

訪問：朱琼愛（朱）、潘詩韻（潘）、陳國慧（陳）

分享：王奕慎（慎）、孔德瑄（瑄）、鄭慧瑩（慧）、馮家瑜（瑜）
（按發言序）

整理：陳伯迪

朱：　請大家分享一下你們與魯師傅一個最難忘的合作。

慎：　當我第一年在香港演藝學院（HKAPA）就讀時，魯氏美術製作有限公司（魯氏）正在做香港藝術節的演出《托斯卡》（*Tosca*）（圖一）。《托斯卡》由一個英國設計師擔任佈景設計，整個佈景很大型、很厲害。不過那次我並不是直接與魯師傅合作，第一次合作應該也是歌劇的演出。

瑄：　我與魯師傅的第一個合作也是《托斯卡》，不過是另一個演出，是由Ivan Cheng（鄭仕樑）設計佈景的。那時我剛升讀二年級，負責造模型，要搭一個佈景的模型出來。我記得那設計師不停監督我們上色、雕刻等的手工，當時我不太明白他為何如此緊張。接著翌年做了《遊唱詩人》（*Il Trovatore*）（圖二）的佈景設計助手，就有機會到魯師傅的廠房監工，因為當時的英國設計師Charles Cusick-Smith不常在香港，所以我和VTD（Vice Technical Director，助理技術總監）會到廠裡跟進佈景，指導和檢查用的顏色是否正確。那時才明白為何模型上色要講求精準，因為後來造景的師傅要跟著模型的顏色去上色。

慎：　現在很難找到一些很「真」的顏色，因為現在的模型都是打印出來的，或是隨便給你一隻顏色，要你照著做，真不知道該如何上色。以前上色工序做得好的模型，魯師傅都能照樣複製出來。

慧：　但是有些顏色例如灰色、冷暖色調，其實很難捉摸。有些灰色我也承認是很難揣摩如何調色。

慎：　我覺得，只要你能說明是哪一種顏色，魯師傅他們便會髹油得很好。現在已經很難做到，我也不知為甚麼。我很久沒有做劇場的製作，我再回來時，就覺得現在的顏色總是上得不好看。

慧：　現在的師傅會常常問你拿Pantone（彩通）色號。

慎： 對，但很難概括成一個Pantone顏色。當中有深淺色、有不同的色調，只給一個Pantone色號，很奇怪。我覺得以前比較容易溝通，即是說明是哪一種顏色後，就可以很安心地等待那些佈景運送回來香港，但現在常常會看到與預期不一樣的成品。

慧： 所以一定要到廠房跟進佈景。而且我們有責任互相交流這些細節，就算是黑色這麼簡單的顏色也有很多種，而我們與魯氏就有這些溝通。

慎： 現在已找不到像魯氏的手工雕出來的石頭、質感。

瑄： 現在都是用3D畫出來。

慎： 這些手工雕刻、上色的技巧，全都沒有了。

慧： 所以很珍貴，我做演唱會的製作時仍會繼續找魯氏合作，因為這些技巧已失傳，例如現在已沒有人會用「木糠」（編按：指在物件表面塗上木糠等物料，做出凹凸立體效果）。現在做演唱會時，別人看到魯師傅的作品都覺得很美。

慎： 有一個演出很簡單：我要做三塊白色的石頭，我就向魯師傅說「這個一定要由你來做」，我就很安心。以前沒有3D技術，只是畫兩張圖、跟著那個尺寸雕出來。魯師傅雕出來的形態、凹凸、上色，雖然是白色石頭，但是連當時那個英國設計師也覺得很驚人。我覺得現在很難再找到這些刻得很漂亮的石頭，這些技巧已找不回來。現在的商業製作完全不懂用「木糠」，亦不懂塑造出做舊、骯髒的效果。

慧： 那些做商業製作的，想做出質感，全都跟我說要「噴cord」（編按：指在物件表面噴上浮雕漆，用途與「木糠」相同）。在外面做其他拍攝的工作時，曾經有人驚嘆原來生鏽的效果也能畫出來。那些大公司、工程公司都說只有魯氏才能做到這些質感。

慎：　有一段時間我沒有做劇場的製作，有一個很深的感受，就是不知道科技到底是令大家進步了還是退步了。

慧：　我覺得有一些進步，但同時有些東西「薄」了、有些東西「厚」了，譬如感覺。我們五官，可能現在只剩下三官，但是當中有些東西又進步了，轉變時就會發生這樣的事情。

慎：　最重要的就是那些基本功，這就是魯氏比別人優勝的地方。

瑜：　剛畢業時，參與的第一個演出就是「香港話劇團」的音樂劇《歷奇》，是與魯師傅的第一次合作。整個合作過程很開心，可以感受到師傅們都是為了那個演出而努力。一些技巧上、機關等的東西，魯師傅可能一開頭會說「好難好難，你的佈景好難搭」，但後來他都能完成。你想要怎樣的效果，他都能給你，真的好專業。

慧：　他會願意和你一起討論如何做好。

慎：　例如《卡門》（*Carmen*），佈景設計也有一塊塊石頭（圖三），他真的能做到那種石頭的感覺出來，而相反金碧輝煌的效果他也能做得到。以前還會畫背景板時，他真的畫得很美……鬼斧神工地畫出來。現在已沒有這些畫功了。

慧：　這並不簡單，不只是畫一幅畫而已。因為那些用色要與燈光和舞台同步，魯師傅會配合台上如何打燈、那些陰影、燈光變化。有些地方畫得特別「重手」也是必要的。其他做商業演出的公司未必敢這樣做，要整個打印出來再上色，所以無法保持到效果。

我記得第一次認識魯師傅時，我仍是學生，正在做一個小劇團的設計。忘了當時我需要借一張桌子或是椅子，然後周淑貞把魯師傅的電話給了我，說：「他人很好，很願意幫助學生。」那麼我就給魯師傅打了個電話，還因為口音問題發生了一個搞笑的誤會。後來日子久了，我跟他說「不如你還是和我說普通話吧」，但他仍然堅持說廣東話。

有一次到廠裡看佈景，吃飯的時候，在場還有林菁這些前輩。魯師傅說了一堆話，我說：「魯師傅，我完全聽不懂，你可不可以再講一次？」接著林菁說：「你聽不懂魯師傅說話，怎樣做設計師呀？」當時年少氣盛，覺得聽不懂就是聽不懂，後來我覺得林菁說得對，在這個行業很常要跟魯師傅合作，他廠裡的師傅阿王（王寧興）、老李（李茂善）、吳光等，全部都是上海人，聽不懂真的不能在這一行幹活。而魯師傅亦會幫我們考慮很多東西。因為有時候我們做舞台演出的預算比較低，不同於商業項目或是主題公園的製作。他們也很願意幫我們嘗試如何用低成本的技巧做出高技術的效果，願意幫我們做一些其他公司覺得浪費時間、沒有錢賺、未必肯替我們做的工夫。

他真的很看顧我們。記得有一次，我剛畢業，做了一個《綠野仙蹤》（*The Wizard of Oz*）主題的設計，因為做了一個黃磚路，所以用了黃色，亦做了一個類似牛角包的設計，之後模型造好後就拿到廠去上色，魯師傅很喜歡那個模型。後來導演說服裝很晚才有最終定稿，是很繽紛的顏色，所以希望我把整個佈景都改為白色。那麼當時年紀小，就願意改。而魯師傅照樣幫我改回所有的顏色，但他就很生氣。入台時，魯師傅跟我說：「Carmen（鄭慧瑩）呀，你是設計師，你的設計這麼漂亮，你不可以讓別人改。我們再上一次色沒有問題，但是你要堅持，你要堅持自己覺得美的東西。」然後我看著魯師傅，向他道謝，亦反思到堅持很重要，但是互相支持亦很重要，即是指，如果是找另一個師傅幫我做完再改，早已被他責罵了。

慎：　魯師傅就是覺得，值得做的東西他會做，他不會計較價錢、時間。

朱：　早前的訪問中常常有人分享魯師傅會對學生，或剛出來工作的設計師無私相助，可否分享一下你們的相關經歷？

慎：　記得做《雪狼湖》的演出，是我們第一次做演唱會加舞台的製作，那次的合作是「火星撞地球」。當時何應豐是設計師，而劇組找了一個專門做演唱會設計的工程公司負責。開始時他們可能把我們當作是學院派，只懂理論，又可能當魯師傅是「鄉下佬」（鄉巴佬），不知道魯師傅在舞台界德高望重，所以不太尊重我們。後來經過整個製作過程，大家開始慢慢尊重魯師傅。我覺得這是舞台界的一個里程碑，他為我們舞台界爭了一口氣，讓他們不再覺得我們只是學院派，而是可以做到一個在香港體育館演出的大製作，幸好張學友先生都很尊重我們的做法。

瑜：　我很感激他，有一次造的佈景有一棵好大的樹，要有像雕刻那樣的效果。造完運到香港時，樹的細節怎樣調整也不對，接著魯師傅經過，便親自操刀幫我修改（圖四）。這些有生命力、有機的部件，他真的做得很好，可以展現到那種生命力。當時他應該開始生病了，但他依然幫我改好那棵樹，真的很感動。

慎：　他做有機的部件真的做得很好，現在真的很可惜。而有時提到錢方面的事情，爭執真的很動氣。但他也會安慰我：「為甚麼要這麼生氣呀？不要動氣吧。」

慧：　他不記仇，一個老人家這麼遷就我們這些「死妹釘」（丫頭）。

瑜：　有幾次看到導演和魯師傅他們吵架，吵得面紅耳熱，然後魯師傅就說：「一起出去吃飯，之後就沒事啦。」然後再慢慢溝通好。

慎：　他有他的堅持，其實他是個藝術家。

慧：　我覺得他的厲害之處，是他真的了解舞台、真的懂藝術、有藝術觸覺。其他的製作公司都沒有這種特質，就算他們把佈景做得如何好、如何堅固，都沒有那種感覺。

說起和魯師傅的合作，有一次是做香港海洋公園「香港老大街」的項目。場景裡「大牌檔」那邊的摺枱、紙皮箱、淮山、制水水喉等的部件，全都是魯師傅他們造的（圖五）。他們用了不同的技巧，例如撿一塊舊木頭來做牌匾；用水晶膠、牛膠等的物料把一些要長期擺放的東西封著保存；把紙皮箱的坑紋倒模出來；又做了一些玻璃纖維。只有他們才願意做那麼多「無謂」的事情，一些市面上有在賣的像是鹹魚、菜等真實的道具，他們又會帶我出去買。

當時我做這個項目時都多次建議找魯氏，一來價錢很划算，另外是我做這個設計時很貪心，有很多計劃想實行、想擺放很多道具，我唯有找一個可以幫我一起呈現我想法的朋友、一直有維持合作的伙伴去做。那些摺枱、摺櫈的木色和紋路，都是魯師傅特意買一張桌子，拆掉原有面板再用防火膠板重新造過和做舊。很多東西他都幫我嘗試。

慎：　他會站在設計師的角度，了解他們想要甚麼。他很尊重設計師。

瑄：　我覺得他很尊重學生。他老是稱我作「孔小姐」，一個大前輩這麼多年來都這樣稱呼我。而魯師傅亦教會了我如何畫圖畫得清楚一點，又教我一些結構上的用詞和如何用中文寫好給師傅們的指引。

慧：　而且你到廠看完佈景後趕著回來香港，不和他吃一頓飯，他會不開心的。

瑜：　我通常都會和他吃飯，因為我多數都是在晚上八時多到廠裡。

慎：　最記得有幾次因盧景文先生的歌劇到北京巡演……那次真的是大排筵席，魯師傅又會帶著魯太太一起來，計劃好到哪裡去玩，真的很開心，他很好客。

慧：　我記得以前還在讀書時，已經知道找魯氏造景是一個身分象徵，即是你厲害才能找魯氏合作……雖然不厲害也可以。如果聽見有人找魯師傅，就會覺得他好似已經很熟悉這個行業。

瑜： 是呀，讀書時就已經聽聞過魯師傅在機械方面的技藝，又很親切，所以畢業之後，可以跟他一起共事、找他造景真的是一個身分象徵。

潘： 感覺魯師傅撐起了整個舞台設計行業。正如你們剛才所說，因為他願意多走一步，同時又有美工觸覺，所以他造出來的東西很出色。但是如果過去的四十年，他沒有從事這份工作，這個行業的發展，包括設計、機械、技術，會是怎樣的呢？

慎： 我覺得他對於新人的支援，和對小劇團的無限支持，其實很重要，因為香港劇場資源很少，但他真的會用盡辦法把佈景造出來，令劇團可以做到想做的事。另外還有對設計師的教育，他教了設計師很多東西，魯氏那些手繪景、「木糠」、畫功……這些失傳了的技藝不知誰人可以重拾得到。

潘： 你覺得業界可以嘗試去做些甚麼，令這一門技藝可以傳承下去呢？

慧： 他的技藝可能無法傳承，但是那種敬業樂業、有義氣、尊重他人、熱愛舞台的精神，我們要保存下去。

慎： 他對舞台有種熱愛，全心全意地向舞台付出。有時候看到他望著自己造出來的東西，能夠感受到他對自己作品的驕傲和愛。我覺得就是要承傳他的精神，要尊重你正在做的事情，這種精神很難得。

陳： 你們覺得要成就魯師傅這個人，或者延續這種精神，客觀現在香港舞台發展，你覺得最欠缺的是甚麼，或者有甚麼東西可以傳承下去呢？

慎： 我想是資金方面，和自己對工作的感情。

慧： 而且業界要上下齊心一點。

瑄： 可惜怎麼找也不會有一個新的魯師傅出現。

慧：　教育也是重要一環，但教育要回歸到個人，即使給你一個圖書館，如果你不進去看書也是沒用的。還是要齊心一點、分享多一點、愛這個行業多一點，不要讓它失去我們現在僅有的氣質。雖然很多同學、前後輩可能去了商業化一點的地方工作，但要緊記你的根在哪裡。魯師傅是一棵很大的樹，樹冠很大、根延伸得很遠，在他的樹蔭下好像甚麼也能做到，他怎麼樣也會幫你做。我們要重建這一棵樹。

慎：　我們做一些小小的樹，大家都是這個年紀，不要說是幫助，都是大家一同合作。

瑄：　我很珍惜在舞台界遇到的所有人。因為在他們各人身上都學到了不同東西，到後來去做商業製作亦有機會再找他們工作，甚至有需要的時候他們亦會幫助你。這個很重要，好似人生不是永遠只有你一個，還有很多的人在。

慧：　這亦是「舞台」最厲害的一樣東西，因為「舞台」不是一個人的工種，是要裡面這麼多部門一起做才能做得到，有那份感情、連繫。而得到魯師傅的愛，我已經成為超能的人。我會用他的心地去做人，我真的深深記得那次全部佈景轉顏色的事，讓你知道有人支持你、知道有人看得見你做的事。

瑄：　因為做設計很容易會迷失自我，有很多人會批評你的設計，又會覺得你不懂、不了解，然後就要你改設計。如果有個老前輩願意幫你改，真的會讓人淌淚，直至現在我也記得。

潘：　你們對於未來在香港設置佈景廠的發展，有沒有甚麼想法？

慧：　應該沒甚麼可能，因為地方不大，而且很多原材料都是從內地來的，在香港設廠成本就會上升。

瑄：　而且魯師傅的廠房好像有兩個足球場那麼大，在入景前整個佈景都能搭出來讓你看，我想在香港不太可能做得到。

慧：　如果香港有廠房可以每天去看佈景也行。

瑜：　我是擔心的部分比較多，因為每次入台前到廠裡時都還未見到整個佈景，但是後來入台時又已經很快地砌好，他那種效率真的頗快。但是每次佈景運回來香港時就很擔心。

慧：　但如果運到香港時有甚麼岔子，他又能處理好。

瑄：　入景時魯師傅會看著自己造出來的東西微笑，這個印象很深刻，即是好滿意成品的感覺，他應該很喜歡舞台。作為後輩見到前輩這樣真的覺得很好、很難得。

慧：　而且你讚他做得好時他會害羞。

潘：　有沒有一些製作，是你們知道有魯師傅在，可以做得大膽一點、走得遠一點的呢？

瑄：　比較少。二〇〇三年畢業時做《馬克白》（*Macbeth*）的設計，那時不懂死活，設計了一條沒有欄桿的樓梯，就這樣斜放在香港文化中心大劇院。魯師傅就罵道「為甚麼會沒有欄桿，這樣會跌死人的」。因為那時不懂嘛，然後在廠看佈景時，他帶我走上去，然後我就很害怕，後來就加一條「威吔」（wire）在佈景裡。那時因為自己年少無知，而且他願意跟你一起做這些瘋狂的事情，所以你的教訓會很深刻，就會緊記不要犯同樣的錯。

慧：　我在設計上沒有甚麼限制。他是個和藹可親的人，在面對擔憂時會給予人很多信心，讓人不會害怕。他人很正直、有義氣、正義，像個大俠一樣，相處時不用向他「賣口乖」（說好聽的話），可以正常舒服地相處。如有爭執時，當天或是隔一天後大家都會相安無事，因為大家都只是在緊張這個演出，不是意氣用事。他是一個好容易相處的前輩。

瑜： 記得那時每個人都在旺角那間茶餐廳排隊找他討論設計，會講上很久。他會很細心地和你討論，哪些做到、哪些做不到、哪些成本會很貴。如果你覺得很貴，他也不會不幫你做，只會看看可以怎樣縮減成本。其實我們這一個行業，真的有很多小劇團要感謝他，這麼低的預算他也肯做，而成品又與預期的相差不多，其實他在背後承受了很多事情。

潘： 剛才說到魯師傅給了你們不同的啟發、知識，對於將來的行業發展，從你們與魯師傅相處的經歷來看，會否可以在學院訓練方面給一些建議？

慧： 我想可以先不用在科技層面討論那麼多，先做好舞台的基本功，不要「未學行先學走」。以前讀書時畫一條直線要畫上一堂課，那時候不懂為何要用上一堂的時間只為畫一條直線，之後就明白，就是因為這樣畫過一條直線，我的東西才做得比沒有畫直線的人好。要知道自己正在做甚麼，要知道為甚麼要設計這樣的東西出來。

瑜： 有時候要有彈性地想一些古靈精怪的方法，去解決一些即興發生的問題，學到這種即興，面對問題時就不會呆立不動。

瑄： 很記得，畢業後跟魯師傅合作時，他教了我很多東西，譬如是木板的厚度，哪裡是六分……一塊板是四呎乘以八呎，然後又會提醒你「你的設計不會無縫的，一定會有線」……這些真的是師傅們才會告訴你。學校老師較著重概念，待你真的踏出社會時，這些知識都很重要。讀書很難會學得到所有東西，因為你是從工作中學習，不能只靠理論。

慧： 另外亦想討論一下，大家希望香港舞台界是怎麼的模樣呢？現在每個場地都有其規矩，但從設計角度出發，有些規矩是否真的如此人性化呢？有時政府會定一個規矩，然後每個場地又定一個，場地裡的管理層又定一個，有時候令人好迷茫。而且現在很多商業演出或者演唱會都會進駐劇場演出，那些程序又是怎樣一回事呢？所以想問大家認為香港舞台可以如何發展。

瑄： 我覺得可以在歌劇方面發展一下。現在好像沒有甚麼本地製作，很多時候都是著重巡迴演出，這樣對於新一代的設計師來說可能就更少機會去做一些大型的設計，有點可惜。因為政府投資了一些很好的地方作為演出場地，那麼其實應該可能發展到更多本地設計人才。

瑜： 人才也是一個需求來的，而且現在有新一批人才是專門做「stage tech」（舞台技術）的，他們又應如何自處呢？香港的製景公司不多，有好多人才但沒有那麼多位置讓他們發揮。其實我們的培訓也不弱，投放的時間、擺放的心血；製作、後台、演員也好，只有幾日演期，又不一定會滿座，演出過後接著就要拆景，又用了一些資源。

瑄： 我覺得現在我們要提供多點機會給年青的同學，不一定是舞台演出，就算是商業項目也好，如果看見自己的師弟妹，可能都會多給他們一些意見或機會。我在想將來我們這批前輩會不會有其他的發展，然後聘請後輩，提供多一點的工作機會呢？因為我覺得有時候（資源）就只有這麼多。

慧： 有些情況是我們畫了一個框架去限制自己做事。現在香港的劇場愈來愈保守，好像太安分守己，還是大家已經不喜歡刺激的事情？我經常反對那些人甚麼也先否決，我否決（那些設計）是因為那些東西有危險，那麼就去解構它、解決它。可能因為疫情，有很多條例要處理的時候，那些條例怎樣為之對或錯呢？我覺得如非很嚴重或很危險的話，可否人性化一點，在藝術角度上多點討論？我們要保護自己的行業、同工。業界其實想香港舞台有一個怎樣的前景？還是我們要做一個只看著規矩做事的人？只想著賣不賣得到門票？現在的製作好像愈來愈少感動人的元素，我們用「守規矩」這件事抹殺了很多可能性。

（圖一）康樂及文化事務署主辦、盧景文導演《托斯卡》(2000)

（圖二）康樂及文化事務署主辦、盧景文導演《遊唱詩人》(2001)

（圖三）臨時市政局主辦、盧景文製作《卡門》（1999）

（圖四）香港舞蹈團《十二生肖大冒險の冰雪奇熊》（2021，重演）中，由魯師傅親手修改的樹

（圖五）香港海洋公園「香港老大街」的場景

（從左起）蘇國威、李紅寶、雷秀玉

個人難以成事：製景的團隊合作

日期：二〇二一年五月一日

時間：下午一時至三時

地點：魯氏美術製作有限公司火炭工場

訪問：陳國慧（陳）、林喜兒（林）

分享：李紅寶（寶）、蘇國威（國）、雷秀玉（玉）
（按發言序）

整理：符嘉晉

寶：　我在一九八五年加入魯氏美術製作有限公司（魯氏）。當時我剛進魯氏，甚麼也不懂，魯師傅就叫我先跟著師傅們慢慢做、看他們怎樣做。師傅們看到大家都是同鄉，多數也會提點一下。那時候還年青，差不多三十歲，像是九點上班六點下班都不怕辛苦，而那些工作也不是很辛苦的事。魯師傅很幫助我們，會告訴我們這幅要怎樣做、那幅要怎樣畫。亦吩咐我們下班之後要把公司的工具全部放好，不要亂放。通常魯師傅和我們之間的溝通都很好，他不像一般老闆會擺架子，會和我們員工打成一片（圖一）。

國：　我是二〇〇七年底，在機緣巧合之下加入公司的。上班時，魯師傅第一時間就和我說兩樣事情，第一是叫我慢慢學，第二是我的工作是負責管理香港這邊的事，包括與設計師聯繫、搭景等甚麼都要做。還有很重要的，是我想怎樣都可以，但不可以動那三個師傅。這是唯一重要的事，因為魯師傅很看重伙計，而且大家都是上海幫長大，所以他們當中的連繫很重要。而那三位師傅真的無論在美工、鐵工、木工上的製作，都有辦法處理得到。因為我進公司的時候，火炭的工場已變成了一個貨倉，所有的佈景都是在內地廠房改裝和製作，佈景運來香港之後就各安天命。有甚麼錯誤、錯漏、貨車壓爛的，那三位師傅就要想辦法去處理，那就看他們的功力了。

如果星期一要到三個不同場地入台，三個師傅就會各自到一個地方，可能這邊有「香港話劇團」（話劇團）的、那邊有兩個中型劇團的，會有不同大小規模的佈景。我很記得我就三邊都跑，在早上九點之前到達第一個地方，看見貨車到了，接著就到第二個地方，又看見佈景到達後，就趕去第三個地方，之後就一直來回三個地方。我初入公司時，魯師傅其實已很放心，他很多時候都未必會監督整個搭佈景的過程。我覺得他是一個很相信他找來工作的人的老闆。其實他沒有特別告訴我應該怎樣做，但他會告訴我哪些事是重要的、有哪些地方或哪些客人需要特別注意。尤其是面對著不同大團的PM或負責人，他們都有不同的脾性，魯師傅就會告訴我要怎樣去和他們溝通，讓我可以很快地上手、讓事情慢慢上軌道。

玉：　我加入魯氏是因為我認識Sonia（魯璐），我和她中一時是同班同學。我生小孩後，剛好Sonia說她公司需要人，我一向有看戲劇表演，所以對這方面也有興趣，但當時我不知道自己是否做得來。我仍記得魯師傅第一次和我說話，我是真的聽得有點辛苦。他約我在「可園」見面，其實是濠苑茶餐廳。

魯師傅說我是負責香港的工作、和設計師聯絡，主要負責幫忙追收香港這邊的帳目。這很重要的——不論我是否在吃飯如廁中，魯師傅真的可以一天打無限次電話來問我，「你今日收了多少帳？還未收到嗎？」之類的。相信不少客戶都收過我的「滋擾」電話，但沒辦法，這是其中一個工作。

我入職時，有四位師傅合稱「四大天王」，分別是二哥（李紅寶）、Lok哥（樂寬會）、王師傅（王寧興）、光仔（劉偉光），魯師傅就是金牌經理人「Paco」（黃柏高）。在造景上，「四大天王」基本上是台柱來的，我這個小角色只負責一些雜務，問問大家吃甚麼喝甚麼、想幾點吃飯等。他們真的很辛苦，不論大小場景，只要一到達工作地方他們就會自動自覺工作。當時我最深刻的，是除了有很多舞台的工作外，我也有負責商業部分的工作。記得有個香港迪士尼樂園（迪士尼）的項目很精彩，每天晚上十一時貨車到了就開工，第二天早上看到白鴿來了就掃地收工。但我的工作還未完成，還要和客人去看看米奇米妮、去看看佈景處理得如何。但工作完成後是開心的，因為成果是由整個團隊共同完成，當然大家都知道在這個行業內，成功感是大於一切的。

玉：　而魯師傅的「神來之筆」又是一個經典。有次在香港海洋公園（海洋公園）的一個戶外場地工作，當時佈景運到香港，發現全都造錯，板上的花不能對齊，我問魯師傅怎麼辦，魯師傅就說他來處理。他一到現場，隨手拿起顏料，然後大筆一揮，就像是他的舞台般，整個本來合不起來的場景由第一層到第二層都融為一體了。當時魯師傅未來到前，我只可以不停滴汗，跟自己說沒有問題的，先處理其他事吧。所以我很感激他們包容我這個「妹妹仔」（丫頭），在一個煩躁的環境之下，我唯一可以發揮到的地方，就是問問他們要不要吃些甚麼，因為我覺得氣氛是很重要的。我很感謝他們給我一個機會在這間公司工作。在我印象中，魯師傅是一個大好人，他好人的程度是這個世界上無人能及的。我很感謝他教了我很多隨機應變、察言觀色的事。

林：　你們三個有同一時期一起工作過嗎？

國：　應該沒有吧。我初初加入時其實是魯氏的一個轉捩點，因為當時的師傅是上海幫，不只是魯師傅，其他師傅全都有口音。因為老實說，在現場很多事情都發生得很快，如果你錯過了他們的說話，或者接收得不清楚，令到事情出錯是一件事，另外更重要的是安全問題，所以你一定要很快學懂他們的口音。我想對於他們來說，有一個年輕人，不是用大家慣常合作的方式去工作時，其實對公司來說是一個很大的變化。

在那個時候，為甚麼我會覺得，即使我不是很懂製景，我還是很想去幫助魯師傅呢？那時其實是魯氏的一個低潮，在二〇〇六、〇七年的時候，我的上一任帶走了很多公司的客戶，成立了自己的公司，你可以感覺到魯師傅因為這樣而很不開心。在舞台上，你見到他為這個行業付出很多、製作出一個個讓大家很滿意的舞台，但在見不到的俠義方面，他也付出了很多，令到大家覺得，有他真的是一件很重要的事情。我覺得有一個人帶走了公司的客戶、這樣對待他，他會不斷思考，為甚麼會發生這樣的事呢？所以如果魯師傅認為我有能力去幫助他，我就會盡全力去支持他，去看看這件事會不會有起色。

魯氏主要有兩個發展方向，分別是舞台製作和商業製作。當時商業方面的製作應該差不多全部都停頓了。老實說，舞台製作的利潤相對較低，一間行俠仗義、能養活這麼多員工的公司，其實很靠商業製作上的收益去支持日常運作，從而製作出讓大家都很安心使用的佈景。這是很重要的一件事。所以我進到公司時，舞台方面的製作其實沒有很大的變化，基本上維持一貫的水平便可以了。而公司在那個時代的水準是毋庸置疑的，特別是機動部件的話，你不找魯氏，也沒有其他公司能製作得到。因為從魯氏開枝散葉出來的公司，他們在機動方面的製作都相對沒有魯氏這麼強。所以我們在舞台製作上從來都沒有問題，但怎樣可以開源、令到當有人跟魯師傅說「請便宜一點的時候」，他可以繼續放心說「可以」，才是問題。

很幸運，從那一年開始，很多商業的客戶都回到我們公司繼續合作，甚至那是第一年開始接到在海港城的工作。海港城的工作是一個很大的挑戰，因為我們要負責搭建整個場地，範圍主要包括海旁那條超級長的樓梯，以及旁邊的平地，可以說是有兩個大劇院的大小。第一次和魯師傅到海港城聽工作簡介的時候，那些圖則很嚇人。那個設計師雖然是香港演藝學院（HKAPA）早年畢業的大師兄，但他對魯師傅都很尊敬。而另一個很重要的問題，就是其實很多人都聽不明白魯師傅的口音，我的其中一個工作就是擔當翻譯，讓很多客戶知道，開始有人去幫助魯師傅了解客戶的需求。

寶：　那個翻譯的角色真的很重要，因為不是每一個人都聽得懂魯師傅的上海話和廣東話，幸好阿蘇（蘇國威）私底下在旁邊和客戶解釋，要不然真的會產生很多誤會。可能和設計師交流時，魯師傅說「只是小問題」，但設計師可能會聽成了「有問題」，那他就可能會誤解魯氏的工作能力。幸好阿蘇可以向客戶解釋，讓他們放心，這很重要的。

國：　這是其中一個變化。慢慢地我們一直做下去，甚至我們剛才都有提及過，完成海港城的工作之後，因為當時的生意開始愈來愈好，我已經無法應付那麼多的工作，所以也有聘請那間設計公司的其中一位同事小川進來一起工作。其實這是一件好事，因為他從設計公司轉過來魯氏工作，某程度上他更適合負責公司在商業方向的發展。倒過來說，我便可以有更多時間跟進舞台的工作，始終我對於那方面比較感興趣，商業工作都只是為了可以有收入支持到舞台方面的運作。

對於我們三個人，變成後來四個人的團隊來說，不再只有劇場的工作，我們以前也會負責很多酒會、海洋公園和其他的工作，但海港城的工作真的是我們一個很大的轉變。當中有一件事很特別，剛才提及到有條很長的樓梯、很大的地方……設計圖是按照建築原本的設計圖則製作出來的，魯師傅有一天收到圖之後跟我說，「阿蘇跟我一起到海港城」，他跟我用拉尺逐級逐級量度了那條長樓梯的尺寸。

寶：　那個樓梯的左邊、右邊和中間的尺寸都不一樣，要是我們製作出來的東西差一分或者兩分這麼微小的尺寸就很麻煩。樓梯級上面有一級一級的，製作需要做收口，有時候駁口是六分，有時候是一吋位，交貨時是不能有縫隙的。如果不做「覆尺」（編按：重新量度尺寸，確保尺寸準確）這個準備工夫，現場裝砌時若要改動，工夫就大了。魯師傅著阿蘇按這個尺寸，量度準確一點，那就不用翻手再做，便是這個原因。

國：　我把尺寸交給魯師傅後，覺得自己的工作完成了，便處理其他工作。因為我每個星期都會定期到廠看佈景，有一天我發現他們把那條樓梯按真實尺寸造了出來。魯師傅為了造一個佈景，在廠房裡把樓梯也造了出來，然後才在樓梯上搭建佈景，以確保符合現場的尺寸和要求。我心想，不是吧！很幸運的，那條樓梯不只用了一年，之後一直都有在用。

那時候是第一次在海港城工作，原本的預算是十天內完成，當然在晚上十一時才開始工作，然後早上六時便下班。因為那個工期很長，通常在海洋公園拆景後，就到海港城入景。那次的工作就是正值萬聖節的時候，先搭海洋公園「哈囉喂」的佈景，再搭海港城的，但同時間還要處理舞台的工作。之後當要拆萬聖節的佈景時，廠房已經開始製作聖誕的裝飾，接著便會輪到海港城的工作。

那個工作程序——如果那天是星期天，而星期一要在香港文化中心(文化中心)入台的話，若在早上六時拆完景，很多時候便會在樓梯或海濱睡覺，或在文化中心小睡一會兒，九時便會開始入景。晚上十一時後，就到海港城繼續第二天的工作。魯師傅很多時候都會在現場，特別是海港城的那一更，他通常都在，因為那段時間在時間和資源上真的很緊張。現在說來都已是十多年前的事了，但我想起來都仍然覺得壓力很大。要以這樣的模式去工作，對於魯師傅或者其他三位師傅來說，都是很艱巨的要求，但每一年都會繼續做，因為除了有收入讓公司可以繼續營運下去之外，其實滿足感是很大的。

老實說，其實我們已經很清楚部分設計師或者藝團對舞台佈景的要求是怎樣，而且我們也可以維持一定的水準，但當要處理一些商業製作時，其實每次要求的水準都可以很不一樣。因為相對來說，始終舞台都是一些「遠景」，而商業佈景大部分是「近景」，都是客人用手可觸摸得到的。商業佈景無論在美觀上，甚至在安全性上，其實要求也更高，所以魯師傅在這方面是很緊張的。對他來說，最首要的東西，是所搭建的佈景不能倒塌下來。以海港城和海洋公園這些工作來說，人流比較多的地方，是更加緊張的。

國：　以海港城為例，他每天都會將前一晚做好的部分，即使未完成的，也會親自檢查，查看是否安全，讓場地可以在安全的情況下繼續運作。即使是我檢查後，他也會再一次檢查以確保沒有問題，他才會安心離開，再趕製其他的部分，然後再回到海港城。每天都是這樣過。魯師傅是一個對於安全和時間掌握上很緊張的人。其實他是一個很心急的人，他放鬆的時候很放鬆，例如剛才阿Lo（雷秀玉）說「追數」，他也可以。但當財政壓力不是很大的時候，他是完全不會理會金錢的。

寶：　那海洋公園的工作要買材料，但海洋公園還沒有付錢，也著我們不要花那麼多。那時候我們的錢都不夠周轉，所以魯師傅便辛苦一點，打電話給阿Lo，問「你有沒有向這些公司追討款項？」今日打完電話後，他明天也會再問一次。如果公司有錢的話，他便不用打這些電話了，因為壓力沒有這麼大。

國：　因為魯氏不是一間很大的公司，在行政支援上是相對較弱的。我們香港這邊的部門負責管理財政事務，而我們的會計只是作兼職，主要處理一些銀行和其他財務上的支援，不會牽涉到每天的日常管理。所以魯師傅會利用一張紙——他通常會穿有口袋的衣服，這個口袋不能小，裡面還有一支筆、一個本子、一張很小、很皺的紙，寫滿了有哪些劇團和公司還沒有付款。魯師傅會挑選對象來追討款項，他從來都不會追「灣仔劇團」的。

寶：　當作是贊助。

國：　對呀，有時候魯師傅就會自己把那些要追的款項刪掉。因為魯師傅和行內的關係真的很親密，他永遠把何偉龍放在第一位。而對於一些規模相對較小的藝團，他也會寬鬆一點，這是毋庸置疑的。

那些大團和商業機構是不應該拖延付款的，但老實說，當中也有很多行政工作要處理，有很多計劃需要配合他們的時間，我們真的要不斷跟進。說的不是隔天，而是要即日跟進。如果他那天裡面打的第一個電話是追討款項，我們就知道他不會回來廠裡。直至你睡覺，他可能都還在等你。因為在魯氏工作並不是朝九晚五有固定時間，所以我們隨時都要接電話，我說的不只是在海港城工作那時才會日夜顛倒。

這是沒有辦法的，這個行業都是這樣。亦因為這樣，才可以令到這些公司在香港有機會立足。如果不是這種工作模式的話，他們從事裝修工作也沒有關係，那為甚麼要從事製景呢？魯師傅是一個比較特別的人，在藝術上，他有他的修養和追求，但除了這方面之外，其實很多時候他是一個藝術家。藝術家懂得去營運一盤生意，這其實不是經常會遇到的事。但他真是能夠在這麼多年來都支持著這間公司運作，而要行俠仗義的時候，他都會義無反顧。當然，這些年當中，都曾經出現過一些沒有演出製作的日子。我知道魯師傅從來都沒有放棄過，在低潮的時候，公司都沒有解僱任何人。

林： 你（李紅寶）從最初自己的兄弟班、上海幫，到後來有其他人加入，你看著公司的變化，你覺得怎麼樣？和魯師傅或同事之間的相處是怎樣的？

寶： 我記得最初的時候，我們都不是各自各做自己的事，都是以魯氏為中心，作為一個整體。不論我們，包括阿蘇、阿 Lo，大家都是代表著魯氏去工作（圖二）。例如在搭景期間，要理解客戶的時間要求，所有魯氏的員工都要盡力按照定下的日程完成工作，盡量要快，不要阻礙劇場裡已定下的工作程序。譬如場地在晚上十一時要關門，若我們留待明天再來是很麻煩的，因為你在阻礙別人的工作，例如架設燈光和其他東西。有時候魯師傅知道我們要外出工作，會提醒我們首要要對客人客客氣氣，可以自己解決的就自己解決，不要經常問魯師傅或其他人。有時候他也會問我們工作會不會很辛苦，辛苦的話就去喘喘氣。他很關心員工的身體狀況。

林： 剛才你提及過關於公司的低潮，你覺得為甚麼有些顧客會再回來光顧？為甚麼魯師傅可以找到一些商業客戶呢？

國： 其實他很清楚商業和舞台上的要求不一樣，當然有很多現實的限制，未必可以和純商業製作的公司匹敵，但他很清楚在哪一些地方需要達到哪些要求。所以其實一開始接觸商業機構後，我們製作的水準很快就建立了一個口碑，因為我們處理的都是一些規模比較大，或較多人看見的製作。其他客戶看見成品後一定會問：「去年不是由這間公司負責的，今年是魯氏？」魯氏曾經有一段時間是專門製造「垃圾嘢」，即是指當你在舞台上要搭建一些頹廢的佈景時，魯氏永遠都可以達到你的要求（圖三）。

如果從處理商業製作的行家角度來看，便會認為魯師傅的製作不夠乾淨，他們其實沒有留意到，那種「污糟」（髒）是造出來的。這也表示其實製景需要很高程度的仔細和用心。當然，在價錢上來說，很多時候也有取捨、需要調整，但要見人的東西永遠不會太差。所以，慢慢讓很多客戶，甚至舊客戶也回到我們這邊，令現金流好一些。當然追收商業客戶的款項比較辛苦和有壓力，但其實也是比較好一些，他們在財政上沒有那麼大的壓力。

陳： 我想問問大家，當時《城寨風情》在文化中心的七樓搭建佈景，是不是工作得比較舒服呢？

寶： 當時一年只會有一次在文化中心工作，是每年的五月至十月，我們都會在文化中心七樓工作。

國： 那是沒有觀瀾的大廠的時候，有了大廠就沒有這回事。當時是做英文歌劇的製作。那時香港沒有甚麼劇團有足夠的財力可以在文化中心的七樓製景。以前可能會有一年一次，但那些都是九十年代的事，二千年後便慢慢式微了。因為當內地廠房建好後，其實大部分佈景已經是造好拆件再運來香港。在我入職之後，已經再沒有在七樓搭建佈景。我覺得我錯失了這些經歷。

寶：　一九八八年時魯師傅接了一些工作，是英國皇室安德魯王子的一個活動。當時在香港會議展覽中心（會展）有一個酒會，佔了幾層的位置。那些佈景要運到會展七樓、展覽廳4B，像是歌劇佈景的規模那麼大，那些椅子都是由我們造的。當時在火炭工場工作，除了裁縫以外，還要畫畫。工場下面還有木工和鐵工，這邊有美工，木工做好後便拿上天台做色。我們用了十多輛車運送佈景，今日裝五車，明日裝五車，二十四小時不斷工作。那是魯氏第一個大型的製作，整個工程收了多少錢我們也不清楚。從來我們做員工的，應該不用管這些吧。

國：　這也是魯氏的特色，所有報價都由魯師傅自己負責。我們作為員工無論怎麼努力，不是不想幫忙，而是無法幫忙。

玉：　如果你加價，魯師傅會責備你的。

國：　那是一定的。即是明知道有些商業製作或藝團有製作費的預算……老實說，在行內的都知道魯師傅不會因為製作的收入多了而自己會賺多了，他不知道在甚麼地方就會把錢用掉。所以有時候當知道可以花多一點錢時，魯師傅也不允許我們把預算用盡，這是很奇怪的。還有一點，魯師傅報價很快，無論是一個多大的佈景，我說的可能是一間鬼屋，可能他數天內就可以完成報價。很多時候，把英文資料翻譯成中文後交給他，他可能一兩天便可以把整個報價都做好。因為他的報價方法不是按單一項目去計算，或者按物料去計算，他是按範圍計算。例如在舞台上的佈景，他大概知道有多少個場景、有一個布幕、有些甚麼道具、有沒有地板，就可以很快地去計算需要的價錢是多少。而更重要的是其實魯師傅心中已經知道有多少預算去處理。

國：　倒過來說，他會花很多時間去思考：「錢就只有這麼多，我可以在哪些方面幫藝團節省一些預算呢？同時又能讓整個效果出來，設計師會覺得更加好。」他會把心思花在這些部分上，而不會花更多的精力在預算的計算上。歷史證明，魯師傅是一個很有眼光的人。所以我也沒有見過他有很大的虧損，要是有機會虧蝕的，都是因為他把自己的錢包打開，讓你知道他願意用這個價錢做這個佈景給你，以達到你心目中所想要的效果。魯師傅在這方面是很厲害的。倒過來說，或者有些情況很天馬行空、沒有可能做得到的，便很看誰是設計師和是哪一個藝團。有一些他很尊敬的設計師，就算只是成本價他也可能會接他們的製作。

但當然如果他看到有一些圖則，明知道預算不夠，他也會想辦法用一個比較低的預算，甚至有時會幫你修改得更好。即是你負責搭建佈景的，其實沒有責任要把它弄得更加好，但魯師傅就是會主動做。他不會知道其實那個演出是甚麼，但憑他的經驗，他很快就知道其實佈景想要些甚麼，又或者設計這個佈景的目的是甚麼，或者這個佈景在演出的重要性是甚麼。所以魯師傅作為一個老闆，同時作為一位藝術家，對於兩個身分的平衡，他拿捏得好準確，很厲害，令公司可以這麼多年來一直發展下去。

寶：　他真的很懂得如何幫助別人。他很喜歡提及人情的，人情很重要。

林：　這些都很影響你們嗎？

玉：　魯師傅教了我很多東西，沒有東西是解決不了的，就是要看看怎樣和它溝通，找到一個磨合位。他一生的經歷真的很厲害，師傅們也很厲害，所以「垃圾嘢」（破落的佈景）這方面真的無人能比。我很記得要去紅A買一些燈罩，我買了很多帶回去廠房，他們總是能把它放進去佈景裡。談及所有懷舊的元素，其實他們能做到的效果，沒有其他公司可以做得到，因為他們真的用心去創造，舊不代表破爛，他們知道要怎樣互相配合。

國：　應該這樣說，其實HKAPA訓練了很多繪景的藝術家出來，但魯氏應該沒有聘請過他們，一個都沒有，但其實他們做出來的水準……如果要聘請HKAPA畢業生來搭建舞台的佈景，香港沒有一個團體可以負擔得起，這是一個事實。而魯師傅則採用不同的方式，創造出來的效果是接近那個水平的。當然這是魯師傅的功力，雖然在內地有不同有能力的人士幫助他，但也需要他自己有這個功力，才懂得挑選怎樣的人才來協助自己，達致自己的要求，來和一些專職做繪景的畢業生去比拼。但現實的環境，資源就只有這麼多，只能夠用其他方法去緊貼水準。

玉：　我很記得有一朵機動的花，會打開的。那個神乎其技的東西……你是無法想像那些花瓣是怎樣製造出來，我就不把那個製作過程的秘密公開，但魯師傅可以運用自己的想像力，運用不同的物料，來達到開花的效果。

林：　剛才說到沒有魯師傅解決不了的東西，但其實當中也有很多困難的地方，例如舞台製作的預算不足夠，但要求的效果卻要很厲害。我也聽過很多人說，魯師傅可以幫忙解決這些問題。其實魯師傅會不會和大家一起思考製作的方向？他是怎樣面對這些困難的呢？

寶：　基本上沒有東西是他想不通的。我記得有一個在佛山的製作，是一個外國雜技演出，那些需要的吊片全都要造出來，幾天幾夜不斷地造。那幾天都在掛颱風，景片還沒有完工，我們在現場起景時上面的景片掉了下來，而且很多景片都吹彎了。我們就打電話給魯師傅，那時候他很著急，因為第三天就要正式演出。上面用鐵架做的景片全都倒塌了，誰要爬上去把景片拆下來呢？但爬的話又怕整個佈景會鬆掉有危險，魯師傅看到後真的呆了。最後我們幾個員工爬上去，慢慢地把景片拆下來，之後立即連夜送回公司重新製作。下午造好後便馬上用車送回佛山，最後把全部工作都完成。

魯師傅那時真的很開心，一群員工很幫得上忙，如果這樣遲了交貨的話，其實員工也會很害怕。平時別人會覺得那是你們老闆的事，但是我們的想法不一樣，大家都很緊張公司的事，都會趕快想辦法去解決問題。所以魯師傅的壓力真的很大，也證明他在工作上很有魄力。他可能晚上會睡不著，想著明天回去要怎樣處理工作。

每年在海洋公園工作時也會有颱風，我們都習慣了。八號風球時，佈景裡有一個燈箱不上不下地吊了在半空中，王小姐（王德瑩）就拍了照片傳給魯師傅，當時他和所有香港的員工都在內地。我們五時多就立即趕回香港，魯師傅在車上，一邊抽煙，一邊想辦法，他第一時間馬上致電給吊車司機，抓緊時間，那我們就可以和吊車差不多同時間到達海洋公園。我們先把燈箱暫時固定，用「wire」拉住，再慢慢把螺絲鬆開，四個小時便做好了。魯師傅在這方面的腦筋真的轉得很快很靈活。平時他坐在辦公室睡覺，但他其實不是在睡覺，而是在動腦筋，閉目思考所有細節，想辦法去解決問題。

國： 其實有一樣東西我也重複說了很多次，就是魯師傅很有人情味。他對於員工的關心或者聯繫真的很強，這也是為甚麼我們三個會坐在這裡的原因，因為我們和他也是同一類人，對這行業很有熱誠，才可以聚在一起在魯氏工作，也反映魯師傅是一個很關心身邊人的人。當時我離開魯氏是因為家庭開始有小朋友，在崗位上我需要一些轉變。我這樣一說，他便很明白，沒有再留住我。當時的工作量真的很大，在一般的公司來說，轉職也需要一個月通知期，我也很擔心交接的問題，結果我新公司的老闆，和魯師傅坐下來討論，看看我可以怎樣分配時間，在兩間公司同時工作，從而產生了一個很順利的交接。

當一個老闆願意坐下來和另一間公司的負責人去討論他的員工可以怎樣順利過渡，是一件很驚奇的事情。其實我現在工作的公司，和魯師傅有一個很長的合作關係，因為舞台製作很多時候需要一些無縫「鯊齒紗」(sharkstooth gauze，編按：一種舞台常用布幕)，用作投影和配件的用途，這間公司便是專門供應這類布料的。在我還未進入這間公司工作之前，魯師傅是怎樣和這間外國公司溝通和下單呢？當時他們還未開設香港分公司，魯師傅用了一個很有創意的方法去下單。因為那種紗叫鯊齒紗，魯師傅會在他下單的貨單上畫一個鯊齒紗，畫下他需要的大小，還有它的特色，例如是綁帶還是怎樣的，在最後還會畫上一條很大的鯊魚，然後這張下貨單便會傳真送到英國。英國公司看見這張單便知道魯師傅要甚麼，就按尺寸做好及包裝好後便送到香港。長期都是這樣的，所以在英國的會議室內，鑲起了一張魯師傅的傳真下貨單，擺放了很多年（圖四）。

這對我來說是很驚喜的，因為在語言障礙下，很多時候當有外國的表演或表演團體來到香港的時候，都需要本地人幫忙找人製景，去聯絡、溝通和翻譯。但當沒有這些支援的時候，我也不敢說魯師傅不懂英文，他可能只懂得簡單的英文，但當到了一些需要溝通和不可以出錯的時候，他可以用一些很有創意的方法來處理。這真是一件令人很驚喜的事情。

寶： 這便看見魯師傅很愛惜員工，我記得我們之前做任白慈善基金的《西樓錯夢》時，我的腰有傷，魯師傅跟我說，「阿二（李紅寶），你千萬千萬不要搬東西，萬一再弄傷就真是大件事」，他叫我指揮散工來做，我便說「好了我不搬了」。但是景片的接駁次序、編號只有我知道，那塊景片多重、哪裡是鐵、哪裡是皮，我都知道，但其他人是不知道的。當時魯師傅坐在觀眾席，我們剛吊好第一組景片，準備開始做第二組。散工們十多人全部都在等我，只有我當下找到相應的景片，那我就請其中一位散工，跟他合力搬過去，結果被魯師傅看到，他就在觀眾席大叫：「阿二，你幹嘛又去搬呀，受傷怎麼辦，以後不用工作了嗎？」然後便叫我們要快點，要趕進度。我的性格和魯師傅一樣，都是十分著急的，但我是從公司的角度出發，而不是從我自己的角度出發：今天沒有把工作完成的話，明天就再回來處理。但我跟著魯師傅那麼多年了，他不是我老闆，是我大哥，那我不出力的話，誰來出力呢？散工是不會理會的，我不動手搬怎能把工作做好呢？佢罵我，說如果我再搬的話就趕我出去，他罵我也不理他。魯師傅很關心我們這些員工。

陳： 魯師傅他自己背負了很多，他人又好，腦袋又靈活，又有創意，又會美工，又能吃苦，是很難取代的。在你們的觀察，或者這些年的經驗當中，現在要找魯師傅的接班人，是不是真的十分困難呢？

國： 如果你要用魯師傅的模式來工作，按照他生命的流程，是絕對沒有可能的，因為需要有很多機緣巧合才會出現一個「魯師傅」。我相信我自己有生之年間也不會有。很多時候是環境因素令魯師傅這個人出現，而不是我們想不想有這個人出現。在現在這樣的環境當中，很老實說，我不覺得有可能出現另一位魯師傅，就算那個人有熱誠，我也不認為他具備相對的能力。不要說達到魯師傅的成就，就算只是魯師傅一半的成績，我也很懷疑是不是真的有這種可能。這個不是人的問題，而是整個環境沒有辦法可以培養到這樣的一個人物出來。

寶：　　魯師傅有魯師傅的特長，他的女婿阿游（蘇紹文）……應該說要努力，為甚麼呢？現在阿游的美工一定可以擔當得起，他本身是讀設計的，畫畫也很好，魯師傅三四年前已經逐漸把廠的事務交給他。魯師傅逐步幫助他、教他，他跟著魯師傅逐個製作學報價、出單。他平時都和我們在一起工作，一起從早上到晚上通宵去搭景、拆景。為甚麼魯師傅讓女婿這樣去打理公司呢？要他跟大家共同進退、所有事情都要他負責，是因為要令阿游自己有壓力，「我一定要更好，不著急是不可以的」。魯師傅對他有要求，他滿腦子都想對魯師傅有個交代。他現在把公司放在第一順位，壓力也好大。

（圖一）魯氏美術製作有限公司一眾員工

（圖二）魯氏美術製作有限公司製景廠裡的標語

（圖三）中英劇團《留守太平間》（2002）做舊效果的佈景

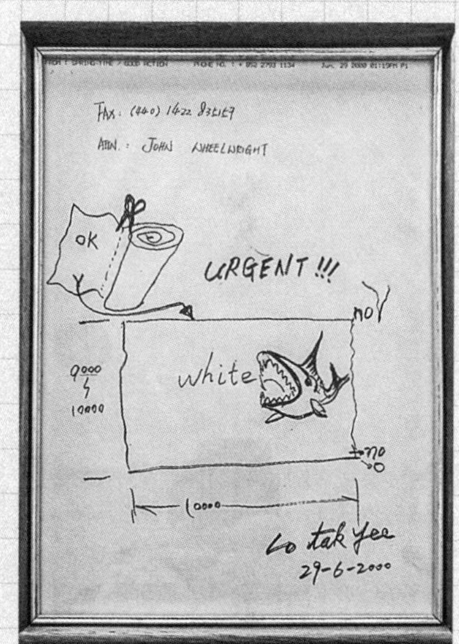

（圖四）「鯊齒紗」傳真下貨單

觀察與思考

編輯圓桌討論：政策、行業發展、教育與觀眾

日期：　二〇二二年六月四日

時間：　下午三時至五時

與會者：朱琼愛、李浩賢、林喜兒、陳國慧、潘詩韻
（按筆畫序）

整理：　葉懿雯

文字：　駱雅

一切都是緣起自魯師傅，舞台界各方友好希望出版一套記念這位對香港藝壇貢獻良多的舞台製景大師的專書，再引申至為香港舞台製景發展及前景作一梳理。在歷時兩年的籌劃及訪談工程過後，編輯小組進行了一次會議，並邀請了熟悉舞台製作運作的香港舞台技術及設計人員協會主席李浩賢出席一同討論，總結訪問期間得到的觀察。

劇團和場地合一的模式

綜合訪問結果所得，首先看到的是業界提出的政策建議沒被重視，政府政策上的不足規範了發展。香港演出場地主要由政府管理，而藝團只能按演出需要租用場地。陳國慧提及何應豐在訪問期間點出了香港劇場被政府場地政策規範了發展，公務員礙於體制上的限制，令到製景的技術配套未必很理想。而陳健彬也有提到類似的狀況，並提出劇團和場地合一的模式作為一個發展方向。

劇團和場地合一的模式，在內地或海外較普遍。潘詩韻以德國的柏林邵賓納劇院（Schaubühne）為例，說舞台製作都是在同一地方排練和演出。雖然現在政府有推行「場地伙伴計劃」，藝團可以有工作空間的支援，但場地伙伴計劃的藝團只是可以優先租用場地，與劇團和場地合一的模式仍有一段距離。較為接近劇團和場地合一模式的，大家想到的較早期的例子，是二〇〇〇年後，劇團「劇場組合」進駐香港藝術中心的經驗。當時在劇場組合工作的潘詩韻憶述，劇團計劃駐場三年，計劃名為「PIP快樂共和」。當年香港藝術中心（藝術中心）由時任總幹事茹國烈管理，他與劇團聯合藝術總監之一詹瑞文討論時，一開始便朝著英國西區劇院（West End theatre）模式思考場地和節目策劃，想盡量運用整個藝術中心的不同空間來做節目。以頗受歡迎的兒童劇為例，希望盡量靈活運用不同空間，讓觀眾不是只進劇院看演出便離場。劇團曾經在大堂設置展覽，劇中角色在前台和小朋友玩耍，讓家長和小朋友進場前有所準備，又仿效外國劇院可以在場內飲食，試過演出期間讓觀眾在場內吃雪糕，也試過完場後舉辦簽名會、合照環節等，當時這些事情在由康樂及文化事務署管理的場地是無法做到的。

技術方面，劇團利用藝術中心不同的劇院嘗試不同的表演形式。例如另一聯合藝術總監甄詠蓓創作的《遊園》，觀眾與演出共處台上，最後整個防火幕打開，讓觀眾看到觀眾席，甄詠蓓就下台在觀眾席上繼續表演，這是在技術和表演美學上探索「觀眾不在觀眾席上而坐在台上觀看」的效果。不過，劇場組合沒有旗幟鮮明地探索製景技術，因為甄詠蓓和詹瑞文的作品都是以編作（devising）出發，不是專注於技術探索。

其實，現時香港也不是完全沒有劇團和場地合一的模式，「前進進戲劇工作坊」在其牛棚劇場便一直在實踐這種模式——在劇場中排練和演出。此外，「香港話劇團」（話劇團）的黑盒劇場及「香港舞蹈團」的八樓平台都是將排練室變成演出場地——製作也是在同一場地排練及演出。

但李浩賢指出，以上藝團，即使他們都在同一場地裡排練、演出，也仍然未能在那裡製景。就算場地可以掛燈，有喇叭，可以播放聲音、影片，但也不可以用作製景。要做到製景工場，第一是工具，第二是要處理環境清潔的問題。即使在內地也有環保相關的條例控制，例如有很多地區不准許進行噴油等工序。現在有些工場因為原本所在地區多了這些限制，不能再營運，要搬遷到其他地區。搬遷後可能又會再次發生同樣事情，要不停轉換地方，因為政策又改變了。他不清楚香港是否有類似的規定限制佈景製作或噴油等，外國劇場會規定要在某個地區或某幢建築物專門做這一類的工作，但香港似乎沒有這種關於工作形式的限制。

以此作定義的話，即使牛棚劇場也只是演排合一，並沒有製景工場。陳國慧指出，如果在牛棚藝術村有工場便是另一回事，例如使用空置的12號單位作為工場。李浩賢也認為以該單位做工場不是沒可能，只需要一些間隔上的修改。但是否有人願意承租12號營運製景工場呢？

製景作為可持續發展的生意

眾多受訪者都認同，行業裡面有一段很長的時間，不論是人力或財力都依賴了魯師傅。有些訪問提到製景工作太辛苦或「無錢賺」，所以繼續探索製景工作的動力相對較低。這裡引申到傳承的問題——不只是技術上的傳承，而是要成為行業或可以持續發展的業務。即使像魯師傅般到內地設廠，這其實不是大家會想到又願意投資的事情。

說到製景行業未來的發展，政府政策固然是一個討論方向。但在私人領域方面，是否因為利潤微薄，因此很難找到能夠投資並願意參與打造這個業務的人，所以製景行業的發展不容易？李浩賢指出，現時在香港從事製景都能夠賺錢。有在香港從事製景的公司，工作多到應接不暇，除了舞台佈景，也會製作商場佈置來平衡收入。魯師傅其實也是以舞台與商業製作並行來平衡財政收入。因為劇團、舞團都沒有太多預算，即使有百萬預算也不會盡用在佈景上。李浩賢剛才提到的製景公司是比較懂得定價，商業機構的佈置就收取相應的價錢，因此能夠維持及有盈利。

潘詩韻指出，由此可見製作公司或製景公司其實是有生存空間，香港演藝學院（HKAPA）的畢業生能在這個行業裡發展事業。但這些製景公司需要找到合適的營運模式，懂得拿捏不同工作的定價，同時承接舞台和商業製作，拉上補下，才可以生存下去。但是，朱琼愛也提出，會這樣花心思的人似乎要像魯師傅那樣，對舞台製景有熱誠。從訪問中可見，那麼少人專門從事舞台製景，是與行業利潤和發展有關。十多年前可以用百多萬製作佈景，現在三十萬的製景預算已算是很多了，從中看到演藝發展不是在向前走，而是在走回頭路，特別是在製景方面。製景預算不足可算是行業發展的絆腳石。

西九文化區（西九）的歌劇院於日後落成，必是長期演出大型的舞蹈或音樂劇製作，屆時大型佈景製作的需求會突然之間數量大增。但會否礙於製作預算或資助未能支撐製景行業的發展，而使得歌劇院落成時製景方面未能應付需求？可能到時候中小型劇團會有一個隱憂：如李浩賢提及的比較搶手的製景師傅，會否全部只做那些大型製作？而預算較少的中小型團體會否找不到人製景呢？

李浩賢指，其實現在已經有這類狀況。雖然因為交通運輸狀況很不穩定，很不想在內地製景，但製作公司有時因空間和人手有限，會推掉工作，於是只能作其他安排，如改請內地工場製景，然後安排較長的時間，容許佈景可以安全抵達香港。

製景技能與教育

另一方面是缺乏技能。李浩賢指，即使提供空間，都要有一班有技能的人來營運工場，需要有各項技術和管理工場的頭腦，懂得工場的運作，例如買入甚麼材料、怎樣分配切割材料、該用甚麼材料來製作那樣東西，需要懂得處理很多瑣碎細節。他說，就算提供空間和金錢讓他開設工場，他也營運不了，因為他不是木工，又不懂得燒焊或運用發泡膠製作東西，每一項都是獨立的專業。香港沒有那麼多這類的師傅願意從事舞台製景。以前HKAPA有一門佈景製作的主修科，但後來取消了。

於是，這又回到「雞先還是蛋先」的問題。林喜兒提出：訓練出來的這些畢業生覺得沒有出路，沒有工作，於是轉職從事商業製作，舞台製景留不住這些人，然後學院又停辦相關科目，好像是一個循環。現實是製景行業一直有需求，而香港需要的模式可能是不能只做演藝製作，而是需要兼做商場佈置、電視製作等。訪問中曾有受訪者說期望HKAPA畢業生可以自行開設相類的公司，要實踐這理想需要有想法又有熱誠，亦要懂得找到一個好的商業模式。此外，香港現有的專業製景師傅是否就是受HKAPA及香港知專設計學院（HKDI）訓練的人？他們覺得訓練是否足夠？畢業後找不到相關工作，還是覺得沒有前景呢？麥秋在訪問中提議，職業訓練局（VTC）可與HKAPA合作舉辦訓練課程，林喜兒覺得是比較理想的方法，能夠提供比較實用的教育課程。

陳國慧指出，李浩賢提及在內地製景的問題，陳健彬在訪問中也曾略略提及，說到當時礙於香港本身的限制，很多公司到內地設廠，而且有一段時間，大家都頗願意到內地嘗試各種形式的工作，探索發展空間，他好奇接下來年輕人是否願意到內地發展、對於到內地發展有甚麼想像。陳國慧也有興趣知道，這當然未必和政治有必然關係，政治可能是其中一個因素，但更複雜的是大家怎樣看待在香港發展這件事，無論是演藝發展，還是個人事業，或者是如何在香港建立一些東西。

表演形式的轉變

另一個觀察到的情況是：現在表演形式正在轉變，例如出現遊走式作品，不再使用劇場空間作舞台演出，在演出期間觀眾可能需要配戴耳機在街上遊走，這些製作是否仍會牽涉製景？還是可以完全跳過製景？現時新的表演形式思考製景或「art tech」（藝術科技），但即使運用「art tech」仍然需要製景，相關技術發展與製景行業發展之間的關係是怎樣構成的？

陳國慧提到劇場形式的轉變，主要關乎導演對於舞台美學的認識和視野，然後設計師如何和導演一起成就這個想像、劇場形式或美學，跟著便到製景，如何在空間上透過製作呈現這個想像，這裡所說的「空間」不再限於舞台，因為表演不一定在舞台或劇場內發生。現在的做法傾向按單一項目（by project）來設計，製景師只按照個別演出的設計思考解決問題的方法。但其實創作和製景團隊是否可以一起討論和研發製景技術，提出長遠解決問題的方法，應付未來其他演出的需要呢？

政府為東九文化中心的劇院花錢購買了燈光和技術設備，但可否反過來想，讓藝術家提出藝術方面的需要，請技術團隊與他們一起合作研發相關技術呢？

李浩賢回應說，即使劇場形式轉變，並不表示不需要製作，他想未必會沒有佈景，只是要求不同了，佈景的形式可能會轉變。以前的佈景主體是個背景，是襯托戲劇或舞蹈的一個主體，但當演出向多媒體技術的方向發展，它就可能變成支持的部分，變成不是眼睛看到的主體，例如看到一個熒幕，而熒幕背後需要一個支架來支撐，然後需要一條軌道來行走，這些支架和軌道也是佈景製作的一部分。

他說自己會用「technical arts」（科技藝術）多於「tech x art」，他認為兩者在概念上是兩回事。「Technical arts」包括了工藝（craftmanship），製景、繪景、紗幕、化妝等整個後台工作都是「technical arts」。現在政府時常帶動或誤導我們運用那些所謂的「tech」來做「art」，他覺得是本末倒置。如果沒有創作思維，怎樣創作藝術作品呢？他認為「tech」其實是個輔助，當然它日新月異，但一支燈即使可以360°、720°旋轉，也只是一支燈，終歸是設計師如何運用那支燈，而不是用那支燈來設計一個藝術作品出來。

若說借鑑外國模式，李浩賢以音樂劇《跳出我天地》（*Billy Elliot*）為例說明。《跳出我天地》在劇場嵌建專為演出製作的佈景，所以舞台很小，規模不大，但有很多變化，中間有一條樓梯可以旋轉上升下降，旁邊又會有些部件彈跳出來。為甚麼可以在一個很小的舞台做到這樣的佈景呢？這是因為他們擁有的時間和資源可能是香港製作的十倍有多。不過，《跳出我天地》是個西區音樂劇，計劃長期演出，他們會否已計算了長期演出的票房收入，足以負擔那個佈景預算，可以在地研發、在劇場嵌建佈景和演出呢？

如何發展長期演出

這跟香港的短期演出預算又有不同，用於長期演出與演期只有五場的佈景預算自然會相差很遠。然而，李浩賢提出，這又帶到另一個話題：香港人觀賞演出的模式、香港的文化，我們到底有甚麼演出可以做到長期演出呢？香港可否做到一個有品牌、旅客來到香港便會觀看的「IP show」（編按：具標誌性的演出）？

潘詩韻指出，當年詹瑞文的獨腳戲是向這個方向構想的，而鄧樹榮的《打轉教室》也曾與香港旅遊發展局（旅發局）合作，由旅發局幫忙宣傳演出，所以不是沒有藝術家向這方面發展。但詹瑞文當時面對的問題是場地，例如《萬世歌王》有潛力作長期演出，大中華區有很多人都認識那些歌曲，但租用HKAPA歌劇院的費用不菲，而當時演出仍主要靠本地觀眾入場觀看，尚未能吸引外地遊客進場。如果真的要打通這個「任督二脈」，是否要和旅發局合作呢？是否要和文化體育及旅遊局或者大灣區的機構合作，每天接載旅客來港觀看呢？她相信西九和話劇團合作製作《大狀王》時有思考這回事，也覺得將來西九的歌劇院一定會向這個方向發展，計劃長期演出或是大型的舞蹈表演、音樂劇或劇場演出，慢慢發展成為西區劇院或百老匯劇院（Broadway theatre）的模式。以往的製作中，《雪狼湖》應該是可以長期演出，也可吸引到旅客的一個製作。另外，名伶白雪仙策劃的粵劇演出，製作的藝術質素和價值高，也能吸引本地和外地旅客。

陳國慧就鄧樹榮的《打轉教室》補充說，「鄧樹榮戲劇工作室」曾經嘗試主動接待旅客，邀請本地導遊觀賞演出，聽取導遊對於向旅客宣傳演出的意見。但當時面對實際操作的問題，由導遊帶團入場的話，必須給導遊支付佣金或拆帳，所涉金額不低。香港的演出要吸引旅客，很多時候都需要與旅遊業合作，但兩者的生態很不一樣，除非營造到一個有機的環境，但要造就有機的環境，主要是靠文化本身的條件，而不是勉強拉一些旅客來營造、又或者製作迎合旅客的演出。

製景行業商業模式

這類長期演出有票房收入，甚至可吸引投資者或冠名贊助，資金足以製作質素良好的佈景，可以促進「technical arts」和藝術創作的相互發展。大家的討論走向思考製景行業商業模式，如何從藝術創作的角度幫助本地人才或畢業生留在行業裡發展。

李浩賢指出，長期跟短期演出的佈景製作，在香港沒有甚麼不同，但其實兩者應該是要有差別的。在外國，藝團是計劃長期重複使用佈景，會仔細設計如何裝螺絲、嵌合裝置，有些外國藝團甚至會親手製作佈景，所以很熟悉搭建佈景的方法，能夠搬動佈景到不同地方演出。香港一開始就沒有這個概念，香港的舞台演出可能只上演一兩星期，就算是在利舞臺戲院演出，演期最多一個月便會完結，也不會搬到別處上演，於是製景師傅便不會研製耐用的佈景。即使如《雪狼湖》般需要巡演、「非常林奕華」有些演出也會有兩套佈景作巡演，但製景師傅也只是沿用平時的方法製景，不會研發特別的製景方法。

還有一點是香港藝團不會儲存佈景，即使製作了很穩固耐用的佈景，演出後也定會棄置。製景師傅很快就需要親自拆毀佈景，因此不會「自找麻煩」去製作很堅固或重型的佈景。他指出，行業的問題是沒有人保存佈景，而不是沒有地方擺放。因為佈景無須按照演出時的模樣來儲存，而是拆開來儲存於貨櫃內，香港其實有地方可以擺放那些貨櫃，但藝團沒有運用過這些地方，是因為不習慣重演演出，可能會想，儲存佈景需要錢，貨櫃運輸又需要錢，不如到時重新製作，可能會更便宜。

大家談到，如果在香港有辦法找到足夠的資金和地方，讓藝團有自己的劇院，自行管理佈景的製作和儲存，那就是最理想的模式了。潘詩韻以丹麥「歐丁劇場」（Odin Teatret）為例。歐丁劇場有三個表演場地，劇團會在那裡排練，在那裡演出，所有佈景和服裝都是他們自己親手製作。歐丁劇場有自己的技術人員，很多時候演員也會幫忙製作，整個藝術方向就是這樣塑造出來的，但當然他們的佈景並不複雜，因為也考慮到巡演的需要。

這其實又回到一開始談到的政府租場政策，因為藝團是租客，不是業主，當藝團只能租場演出，這便限制了演期長短和重演的可能，無論是演出、製景、儲存都沒有辦法長遠規劃。這甚至不是在說長期演出的那種系統，而是整個生態三、四十年來都是「朝行晚拆」（早上搭架，晚上拆掉），租場政策限制了演藝團體的規劃。

而政府推出的場地伙伴計劃，其實都只是個租場政策，並不是真的把藝團當作「場地伙伴」。之前提到牛棚劇場和話劇團的黑盒劇場，可能已是最接近駐場模式，可以自行營運並安排所有藝術及科技的佈置。

觀眾拓展

但香港觀眾的觀賞演出模式也有影響，並不是撼動租場政策便能對現有製景模式有所突破。李浩賢提出，問題源於更基本的供求問題，香港的觀眾文化特色是比較喜歡看新的東西，不會因為喜歡而瘋狂觀看二十次莎士比亞的《羅密歐與茱麗葉》（*Romeo and Juliet*）或是二十次《胡桃夾子》（*The Nutcracker*）。但外國人去看《胡桃夾子》就好像香港人去行花市，是文化，香港的觀眾會否去看品牌演出、長期演出或者重演演出？

本地的表演節目中，只有粵劇有點不一樣。這可能跟觀眾視看粵劇表演為生活的一部分有關，就好像早上到茶樓那樣。所以在我們的文化裡面可能也有「睇戲」的習慣或氛圍，而粵劇其實是戲劇藝術的一部分，現在的觀眾卻好像認為粵劇與劇場是兩個獨立的藝種。

李浩賢提到，百分之八十的粵劇觀眾都是長者，即是粵劇用了六十多年來累積這些觀眾；而朱琼愛覺得問題不在於累積觀眾，而是很難培養新的觀眾進場。一個人不會重複看同一演出六七次，如果要不斷重演劇目，應是藉著重演不斷吸引新的觀眾入場觀看演出，演出才可維持生命力。

林喜兒則提到，經常有一種說法，說觀眾群有「年齡斷層」，十多、二十多歲拍拖時會去看演出，但結婚生子後有廿年無暇去看，或是只會去看親子劇場，到四、五十歲才比較有空看演出。那麼能否「保留」那班人，還是等他們四、五十歲有空才吸引他們進場看演出呢？這是個時常聽到的討論。

潘詩韻則指出，觀眾拓展和整個行業如何支持製景或美學發展有關。製景行業與觀眾、場次、場地等環環相扣。

天時、人和、地利

陳國慧也提出，天時、人和及地利幾方面對製景行業發展的影響。「天時」方面，製景發展正值各方面的人才南來到港，加入構成香港文化，平常大家談論的是文學方面的前輩，而魯師傅則是技術、美術方面的人才。魯師傅從上海來到香港，由畫畫開始，在美學方面進行探索。「人和」在這個發展裡也很重要，若非魯師傅，很難與界別維繫如此緊密的關係。另一方面，當時劇場中人看到魯師傅做得好，便鼓勵他成立製景公司。所以「人和」方面，是在魯師傅這樣有技術、有熱誠的人以外，還擁有開放氣度的香港劇場的人，和他一起促進製景行業的發展。而「地利」的「地」不是指空間，而是指香港這個地方提供機遇，讓這些南來的文人、有才華的人，或是好像魯師傅那樣有技術的人發揮所長。製景行業在那個時機發展，似乎可一不可再，很難重現。

陳國慧認為，那時香港劇場尚未專業化，但正從業餘模式開始醞釀製作，很需要魯師傅這種人才參與發展。她提到跟梅卓燕、王志強談論到當年從事舞台技術的朋友名單，發現那個年代很多人都是自學舞台技術，魯師傅也不例外，也是在過程中自學摸索各方面的技術。麥秋也在訪問中說到他來自海外的經驗，但畢竟要到話劇團成立，劇場真正邁向專業化的時候，才真的能夠引入更多海外經驗。劇場和製景行業的發展都有類似的狀況。

製景行業的發展應受重視

因為魯師傅的逝世，為記念他而進行的這個計劃叫大家發現到，在舞台製作不可或缺的製景部分，應該更受重視。陳國慧提到觀眾一般受眼前的視覺感染，未必會想到背後的工夫。這個計劃讓大家發現了很多以往沒有留意的事情，而那些其實都屬於表演藝術生態的重要一環。

潘詩韻提出，製景行業發展是在幫助實現「artistic vision」（藝術視野）。如果製景行業尚未發展，未能製作佈景，是否只能在空的空間裡演出？是否只要有演員經過、有觀眾，便是演出了？這樣的模式並非不可行，但就限制了整個表演藝術行業在美學和創作上的可能性。很多時候觀眾看到佈景，便會覺得設計師很厲害、設計很漂亮，很少人會想到製景師能夠做到那些機關很厲害，但其實機關處理得很順暢也是技術。

朱琼愛指出，好幾個訪問都有提到，魯師傅在八十年代由在廣興舞台佈景製作公司工作開始到自己成立公司製作佈景，一直會想辦法用更好的方法去實現設計師的設計圖，把設計變成台上的實物，而較早期出道的設計師說過，他們只負責畫圖，沒有想過如何執行，正是魯師傅幫忙思考如何製作成台上實物，這就是我們覺得製景行業發展重要的原因。真的是構成「夢工場」的動力之一。

圓桌討論之後：延伸對談

日期：　二〇二二年九月五日

時間：　晚上八時至十時

與會者：何思穎、招靄盈、陳國慧、潘詩韻
（按筆畫序）

文字：　駱雅

在編輯小組圓桌討論上，潘詩韻談到香港演藝學院（HKAPA）學生在學及工作的經驗，於是找來了兩位就讀HKAPA的年輕人，分享她們修讀舞台製作的緣起，及在「與魯師傅合作」的行業運作模式以外，對前景的看法。

訪問時，Clara（何思潁）是HKAPA舞台及製作藝術學士（榮譽）學位學生，即將畢業。她說舞台設計系可再細分為「科藝製作系」、「製作管理系」及「舞台設計系」，而她是修讀舞台設計系中的「道具製作」。她在二〇一五年先讀了一年制的「舞台及製作藝術短期精研課程」，也是讀道具製作。其後實習，在工作一年後，覺得有需要再進修，所以再入學讀正規的四年課程。

Angel（招藹盈）較Clara早一年入讀學士課程，中學畢業後便到HKAPA讀繪景。因為社會運動及疫情，有半年沒有課堂可上。但她那時的課堂已差不多上完，只是有些獨立研習項目要進行。最後一年學校安排她們回學校完成作品就畢業了。畢業兩年，第一年主要是當自由工作者，替幾間不同公司工作，那時除了繪景之外，也有在香港迪士尼樂園（迪士尼）畫畫和做道具，也試過做戲偶。Angel覺得在不同公司工作可以汲取不同的經驗。其後透過HKAPA的求職啟事找到現在的工作——替專門畫壁畫的法國老闆當助手。繪景出身的HKAPA畢業生，一是自己接壁畫的工作做，二是到迪士尼工作。

實習經驗

在HKAPA修讀舞台製作，都需要實習。Clara在三年級期間去了蘇格蘭皇家音樂學院（Royal Conservatoire of Scotland）做交換生。那是跟HKAPA很相似的舞台製作學校。在那裡三個月，他們給Clara許多創作空間，讓她體驗到外國劇場的文化。之後二〇二〇年疫情開始，停課停演，工作也少了。但她一直希望在不同的公司工作，學習不同的東西，於是在上年停學時去了一間負責製造北京環球影城服裝的服裝製作公司工作。

Angel在三年級升四年級期間，與另一位同學一起在魯師傅的製景廠實習。她主要幫忙做「香港芭蕾舞團」《小飛俠》（*Peter Pan*）的繪景工作，當時魯師傅同時替香港海洋公園「哈囉喂」的鬼屋及一些小藝團製景。實習期間，Angel發現，在製景上，內地製景廠跟她們在學院學習的方法有些差異。內地廠房的製作速度很快，較她們在學校時的更快，而HKAPA的工作環境亦比較好一些。當時她們在製作《小飛俠》佈景，要把佈景吊起來看，吊起佈景的吊桿上卻有很厚的塵，不知是沒清潔還是廠裡很大塵。她坦言這些差異對她加入行業的發展有些影響，她覺得魯師傅是有要求、有一定標準的，但就不知製景廠製造出來的佈景是否能達到他的標準。事實上，製造出來的佈景經常會出錯，來到香港時要再執漏。

Clara在英國實習的經驗，是演出前期製作的文化跟HKAPA相類似，但香港的劇團很少使用這種模式。她亦看到兩地觀眾看劇的習慣及氣氛很不同，如英國觀眾每年聖誕節都去看《胡桃夾子》（*The Nutcracker*），他們很接受和欣賞劇場製作，香港觀眾則喜歡看新的劇場演出。做道具方面，香港不會造得很仔細，例如《灰姑娘》（*Cinderella*），英國會製造整個城堡，但香港可能用兩個木箱砌成。

本來學校要求實習是要做舞台工作的，但因為過去幾年無法出外交流，香港又很少實習機會，所以很多人都要到其他性質的公司，如壁畫製作等公司實習。

Clara說在英國交流後，回港後的那個暑假仍要實習。她在英國時已經開始找，又聯絡過在「太陽劇團」（Cirque du Soleil）做舞台監督的師兄，他介紹了幾間公司，不過後來因為疫情而沒成事。最後她在一間香港公司實習。在本地找實習機會時，看到有些製作公司的老闆會有不少考慮，因為他們製作預算有限，所以不想有任何差錯。此外，教導一個新人需要時間，而時間對他們來說便是金錢，因此不太想花時間教人。Clara不覺得他們沒有熱誠，但他們只是不得不向現實及租金低頭。

前景發展

Clara之前提到兩地觀眾及舞台製作的觀念很不相同。Angel說演期長短，會影響財政預算，那就會影響製景可用的錢，從而影響用料及製景的大小。

至於近年甚囂塵上的淘寶文化或科技發展，Clara認為科技對製景發展有影響的，如3D印刷技術，可以很快做好模型。變相她們在技能上有一定壓力，因為其他人都懂得這些技能時，自己不可以不懂。此外，用3D印刷對她們這些手作人的影響，是她們不會感受到物料的分別。她們本來要認識物料，因為物質的特性不同，會影響製作次序。但3D印刷不需要你認識物料，它就替你節省了很多時間和金錢。

Angel也提到，近期的製景用上很多投影技術。這樣有利有弊。一些較複雜的畫及佈景，用投影的話，她們學到的不多。但這個技術，可以加速她們的製作過程。

對於工作前景，Clara提到畢業時都煩惱了一段長時間。她一來有學院的項目未完成，二來看不到可以像疫情前師兄姐那樣做自由身工作者，那樣可以開心些，也可以賺多些。但近來工作機會少了，她都在想是否需要找一份固定的工作。而Angel找工作時，都有掙扎過。雖然喜歡做舞台製作，但都要接商場、主題公園的工作，畫壁畫則要用不同的技術。Angel說也喜歡現在的工作，也能給她滿足感。

對於繼續創作或跟不同媒介的人合作，Clara跟Angel都說有興趣，因為可以讓自己認識更多不同界別的看法和工作方法。但Clara也提到，做一個展覽或項目，不知道成果會是怎樣，於是投資的時間未必有回報。因此，她會在自己有固定收入後才會去嘗試。她提到之前有個演出因疫情而取消，但整個創作團隊也有繼續聯絡，最終在二〇二二年七月舉辦了一個以洗衣機連結到日本及澳門的展覽。觀眾坐在洗衣機前面看影片。片尾會見到在日本及澳門的觀眾，大家「你眼望我眼」，讓大家反思疫情期間，時間如何流逝。

學院與真實工作環境

HKAPA為學生提供一個相當完善的工場設備及環境，跟現實中的工作環境有一定距離。問她們有甚麼看法時，Clara說希望可以找仍在職場工作、「貼地」的「新血」老師或師兄姐交流。她指出，有位在外邊工作了一段日子的師兄回來HKAPA做技術人員，她們有問題時，這位師兄能提供到很合時的資訊。因為世界轉變得很快，Clara覺得有「新血」老師來交流，一起做演出，應可以學到很多東西。

好景：讓我們延續魯氏盛宴

自由文字工作者

林喜兒

（熒幕左上）魯璐、（熒幕右下）蘇紹文、（下排右一）魯依蕊、（下排右二）魯陳玲玲

曾經跟魯師傅同桌吃飯的人，究竟有多少？

我們跟設計師、導演、技術人員、製作人員、場地管理者，談談說說過他們和魯師傅之間所發生過的有趣故事，當中有很多歡笑聲，但也少不免夾雜著爭拗、甚至吵架的時候。然而每次在爭持不下之時，「不如先吃飯」似乎是魯師傅的靈丹妙藥。他的餐桌，沒有魔法，唯獨有他的氣度，有著排難解紛之效。

現在我們回到主家席，魯氏一家想起的是小時候團圓吃飯的時光，那時爸爸是家中的萬能工匠；到長大後，爸爸工作日漸繁忙，她們也跟著爸爸一起上班去，想起與他一起打拼的光陰。

魯師傅的天分無容置疑，眾人記掛的，除了他的一雙巧手，其廣闊的胸襟與豪情壯志更令人敬重。如何記念？如何延續魯氏盛宴？這一天，我們跟魯師母魯陳玲玲和二女兒魯依蕊（Queenie）在魯師傅家中相聚，身在澳洲的大女兒魯璐（Sonia）和當時身在內地工作的二女婿蘇紹文（阿游）隔著屏幕，細說魯師傅的軼事。

說起兒時回憶，百感交集，這頓飯，混合了甜酸苦辣。

從軍人到工人

「這可能是他那麼刻苦耐勞的源頭。」

出生於中國紹興的魯師傅，在八十年代之前都是居住在內地。年僅16歲的他選擇了參軍，在部隊裡當電話兵（通信兵），他主要負責在前線上為軍隊佈下通訊系統，是一件非常危險的任務。在Sonia口中得知他在軍隊裡的生活非常艱難，就連吃不吃得飽也是一個問題。「爸爸說他吃飯吃得慢，所以每一次都只能吃到一碗飯，沒有添飯的機會。吃不飽的時候，他跟其他軍人會在荒廢了的農田裡尋找剩餘的植物。運氣好的時候會找到一些馬鈴薯或蘿蔔，但絕大部分時間只能找到一些餘下的根部。他說他們會將根部曬乾，然後當零食食用。聽到他年輕時艱苦的點點滴滴，我也會覺得很痛心，但這可能是他那麼刻苦耐勞的源頭。」

聰明勤奮的魯師傅本來有機會升級成為高級兵，但因為他媽媽在香港工作的政治理由而被拒絕了。服完三年兵役回到上海之後，他被分派到上海民政局屬下的一間福利工廠工作，也就是他跟魯師母認識的工廠。

在工廠的幾年正值中國文化大革命期間，當時任職宣傳部的魯師傅畫了不少以文革為主題的畫，當中以「毛主席去安源」最為巨大。那幅畫以油畫為主，畫在廠房的外牆上，高達幾層樓。如此巨大的外牆畫要怎樣畫呢？魯師傅想出在縮小圖上打好格子，然後在外牆上按比例放大，最後畫出來的作品備受讚好。

雖說被分派到不理想的工作場所，但能夠認識到他的終身伴侶也算是一件幸運的事情。兩人於一九七四年結婚，長女在幾年後出生。眼看著太太分娩困難，魯師傅心裡清楚知道她需要足夠的休息，所以在上班工作以外亦擔起了照顧太太及孩子的任務，一手包辦家裡打掃煮飯、餵奶換尿布。除了照顧家人，連家裡所有的傢俬都是他一手打造的。

多才能幹的他終於在一九七九年來到香港，才真正有機會去施展拳腳。

魯師傅的畫作

魯師傅的畫作

家裡的爸爸

「沒有覺得爸爸特別聰明、特別有才華，因為自小爸爸就是這樣！」

過去四十多年，魯氏美術製作有限公司為香港舞台佈景撐起了半邊天。行內人認識魯德義，當然是從劇場開始，然而魯師傅與藝術的故事，或者可以從街頭說起。從來沒有接受甚麼專業訓練、卻擁有如魯班一樣的天賦的魯師傅隻身從上海來港尋找機會，努力工作去養妻活兒。魯師母說就算魯師傅來到香港後，生活依然很窮困，家裡的傢俬仍舊由他親手製作，次女出生後的嬰兒床也是他用地拖棒造出來的。憑著生活中點點滴滴的才華，在還未跟劇場遇上前，魯師傅先在街頭以賣水墨畫維生。Sonia 記得小時候跟媽媽到街頭探爸爸的班，當時他在彌敦道的多處地方擺地攤賣水墨畫，非常受外國遊客的歡迎。Sonia 更記得曾經在家裡幫忙裱畫、送畫，幫忙的酬勞是一個雪糕筒，便已經是很幸福的事。在畫水墨畫畫出了一點名聲後，他又畫過旗袍和 T 袖，他畫的旗袍甚至連香港小姐冠軍也穿著過。

在家裡，魯師傅是一個廿四孝爸爸。Sonia 說：「我小時候喜歡聖鬥士星矢的模型，爸爸就做了一個古羅馬鬥獸場給我放模型。」Queenie 也說小時候的美術功課經常由爸爸代勞。「因為我屬豬，我們搬家後，爸爸特別為我造了豬仔茶几。在我心目中，家裡甚麼事情都可以交給他，沒有覺得爸爸特別聰明、特別有才華，因為自小爸爸就是這樣！家裡有甚麼壞掉了，他馬上就可以修好。長大後才發現其他人的爸爸不是這樣的，開始愈發覺得他是個天才。」Queenie 說在她出生後，魯師傅開始舞台佈景製作的工作，生活日漸忙碌，家境也有所好轉，所以她就成為了父母口中的幸運星。

從毛遂自薦開始，魯師傅湊合了做木工、鐵工的朋友，一起發揮所長，創立了魯氏製作，在火炭開設了工場。工場並不是很大，魯師傅便穿梭工場、大廈大堂，甚至利用工廠大廈的天台來製作大大小小的舞台佈景。有一次，他需要撰寫一幅巨大的字畫，但市面上根本沒有如此巨大的毛筆或工具供他使用，他便自己造了一把很大的掃帚，將白布鋪在天台的地上，然後用自製的掃帚把字畫寫好。自從跟舞台佈景遇上後，魯師傅的創意及技能方才得以發揮至淋漓盡致。

雖然他的工作量很大，但他從來沒有把工作壓力帶回家裡。在Queenie眼中他是個開心的爸爸：「我覺得他對我們是報喜不報憂，他從沒跟我們說過任何煩惱。放工回來，就是開開心心、嬉皮笑臉的。」雖然工作非常繁忙，但這個爸爸，一定與家人一起過每年的生日和節日。他經常親自為家人選購合適的禮物，在平安夜裡總會把女兒們的聖誕襪填滿。但後來隨著工場搬到內地，他一直要中港兩邊奔走，便再沒有時間親自挑選禮物，家人的禮物也變成了以現金去充數。那時的「魯氏」已是圈內數一數二的製景公司。

工作中的爸爸

「不用一定要賺錢的啊，與藝術做生意，不可以做奸商！」

魯氏從山寨廠搬到內地的廠房，也從劇場製作擴展至商業項目。起初魯師母也有幫忙，後來兩個女兒也在廠房當過暑期工，那時才知道爸爸的工作是甚麼，也認識到廠房裡不一樣的爸爸。二〇〇九年，Sonia正式開始幫爸爸工作，主要負責香港海洋公園萬聖節等商業項目。「他要跟外國人打交道，但廠房裡面沒有一個人懂英文，於是提議我每年回來兩個月幫忙翻譯，順便也負責採購萬聖節道具的工作。」當時Sonia已經移居澳洲，但自此每年也會回來幫忙，認識到了工作中的爸爸，也開始了解他對舞台佈景的迷戀。慢慢地，她才知道爸爸的工作原來這麼複雜，因為每一次的製作都是完全不同的，而每一個製作都是在挑戰新的難度。「開始跟他工作後才發現我完全不了解工作中的爸爸，會問自己眼前這個人究竟是誰？在家裡是個慈父，但在廠房裡，他會罵人、跟設計師吵架，在搭拆台的時候更是火爆。」魯師母聽聞「魯師傅脾氣很差」這件事後也很驚訝，畢竟在家中他是個有耐性的好丈夫。

魯氏美術製作有限公司位於香港火炭的製景工場

魯氏美術製作有限公司觀瀾製景廠裡的工作情況

Sonia直言幫他工作很困難，有可能是時代的隔膜，兩代的想法有明顯的分別，也有可能是「雙魯」都很「硬頸」（固執）。「因為他一定要按著自己的方法去做事，不會聽取我的意見；然而我卻經常迫使他接受我的想法，所以我們一起工作時雙方都會很『激氣』（生氣）。另外他很保護員工，即使對方偷懶也不會責罰。所以在廠裡我不時會因為管理上的問題而跟他吵架。有時候我也想過，我們是否不應該一起工作，只維持父女關係更好？」不過無論吵得怎樣臉紅耳赤，魯師傅也不會「記仇」。說一句「好，餓了，去吃飯。」之後便沒事，像甚麼事情也沒發生過一樣。「不是每個人都可以做到，他不是裝出來的，是真的不記得，過了就沒事。我記得某天有一名員工令我很生氣，於是我便不再理睬他，其他員工都來勸我說：『你應該跟你爸爸學習，他是一個最寬容的人，無論如何他都會寬恕別人。』那句說話，讓我沉思了很久……」父女哪有隔夜仇，爭吵過後製作還是順順利利的一個接一個，魯氏父女感情依舊，Sonia感嘆從爸爸身上學到了許多一生受用的人生哲學。

魯師傅不只寬容，更是慷慨，不少受訪者也提到魯師傅怎樣幫助他們，就算「蝕本」（虧本）也在所不辭。後來二女婿阿游加入魯氏，與Sonia負責商業項目。「魯師傅比較想做藝術方面的製作，但利潤會比較低，而我和阿游就成為了他口中的『奸商』，因為我們會比較看重利潤較高的工程。在我和阿游加入之前，他做不了商業的製作。平日做舞台佈景，大家像一家人，坐下來討論，怎樣可以節省成本、錢應該用在哪裡，他會給予很多怎樣改善製作的意見。但商業項目的客人不一樣，他們把製作圖傳過來，廠房只要按圖製作便可以，並不需要我們給予意見。爸爸很不習慣這樣的工作模式。所以在我們加入後，舞台佈景主要是由他負責，商業項目就由我和阿游負責，這樣才能平衡廠房收入。」

魯師傅確實不把舞台工作當作生意，很多事情也親力親為，阿游由衷佩服他的魄力。「很多時候他工作至通宵達旦仍不肯離開，無論我們如何請他回家，只要現場還有一個師傅在工作，他就要留下來；直到全部工作完成，大家都下班了，他才肯離開。」Queenie也記起從內地師傅口中聽過一個關於爸爸的傳奇。「那次是在長隆的遊樂場做一個舞台。有個鐵架被風吹得快要倒下來，看似非常危險，大家都很擔心，不知該怎麼辦。然後他就站到鐵架的下面，還說只要有他站在這裡，那個鐵架一定不會倒下來。他就一直站在那裡，直到師傅們把鐵架修好，他就說：『我說了，有我在就不會出事。』我覺得他確實是有福氣也有運氣。」魯師母也認為他很有運氣，「雖然這一路走過來很艱難，像坐過山車一樣，但在最困難的時候每每會出現貴人扶持，總是平平安安地過渡。無論情況如何，他一直堅持說與藝術做生意，劇團的資金很有限，大家一定要互相了解，不能以賺錢為大前提。這個人會說：『不用一定要賺錢的啊，與藝術做生意，不可以做奸商！』」

承傳爸爸的精神

「我的身體跟不上，但我的心境只有18歲。」

Sonia和阿游加入魯氏後邊學邊做，大家都說魯師傅很有才華，卻不懂怎樣教人，他會說：「你懂就懂，不懂就不懂，這是天生的。」以報價為例，他說：「就是這樣子，以後你自己記著啊！」或者是「一張板是這樣計算的，然後你就加起來，有些不知道的就憑感覺吧，基本上可以估計出來。」所以他提供不了方法，大多數時候都是孩子們自己揣摩領略。「不過他也會擔心，跟著他的師傅們都老了，沒有新人接棒，這一行會怎樣延續下去？他也曾經想過在香港設廠，四、五年前和他傾談過，當時已在元朗新田找了一個倉庫，想過與香港演藝學院或者政府合作，學生畢業後可以有個地方做美工或者鐵工，但最後不成事，因為成本實在太高，也找不到合適的師傅教授。」

魯氏經歷高低起伏的不同階段，無論情況怎樣，魯師傅總是很享受自己的工作、享受跟大家坐下來一起聊天、吃飯。Sonia說他喜歡西澳帕斯，曾說想移民。「其實他是沒辦法移民的，因為他需要忙碌的生活，休息幾天倒可以，但是如果超過兩個星期就不行了。他會說：『是時候回廠裡了。』他雖口裡說很嚮往退休生活，但我說他在騙自己，不是工作困著他，而是他離不開工作，他太迷戀舞台製作了。」阿游也問過他為何不退休，他說因為還沒到八十歲！他會驕傲地說：「我的身體跟不上，但我的心境只有18歲。」

今天的魯氏交到阿游手上，阿游直言，魯師傅走了之後，很多客人都擔心魯氏是否可以繼續。「這也是正常的，雖然在疫情前公司情況比較穩定，劇場和商業的項目互相補足，但是疫情差不多令整個行業停擺。沒有人知道後面的路會怎樣。」不過他們有信心，會用時間去證明魯氏的實力。說到未來發展，阿游提到，幾年前已開始做內地的舞台製作。「魯氏在內地算是有點名氣的，我也想打開內地的市場，把魯氏舞台製作發揚光大。我認識了一些內地的設計師，給他們看了魯氏舞台二十年的書，他們都兩眼發光，不知道原來香港有這些漂亮的舞台佈景，對我們也很感興趣。此外，我也想做一些電影或者其他未接觸過的新項目。」要發揚魯氏，Sonia 認為最重要是不忘初心，要繼續舞台製作，承接爸爸做出來的那種舞台感覺。「我看過其他公司的舞台，做出來的佈景雖然是很漂亮，但不像爸爸做出來的，會帶有一種人情味、一種溫馨的場景感。我們希望以後魯氏出品的舞台製作是可以讓爸爸自豪的。」

有說人走茶涼，魯師傅對舞台工作的狂熱，卻留下久久不散的溫暖。

魯師傅與任白慈善基金《蝶影紅梨記》（2017）佈景合照

附錄：本書曾提及的在香港上演的本地製作

（排名按筆畫序）

年代	演出名稱	藝團	相關訪問
1980-1989			
	《小狐狸》	香港話劇團	德義兼備的「老大哥」、I-1、II-1、II-2
	《生日派對》	中英劇團	III-2
	《北京人》	香港話劇團	I-1
	《我手誰牽》	香港話劇團	II-2
	《岳飛》	香港舞蹈團	I-1
	《阿伊達》	市政局委約、盧景文製作	II-1
	《胡桃夾子》	香港芭蕾舞團	III-3
	《茶館》	香港話劇團	德義兼備的「老大哥」、II-2
	《聊齋新誌》	灣仔劇團	III-2
	《遊唱武士》	市政局委約、盧景文製作	II-1
	《應有此報》	灣仔劇團	III-2
	《驚險樂園》	中英劇團	對劇場的愛與信念
1990-1999			
	《一起走過嫲嫲煩煩的日子》	香港戲劇協會	II-2
	《七十二家房客》	香港話劇團	I-1
	《九歌》	城市當代舞蹈團	I-1
	《三毛》	城市當代舞蹈團	III-3
	《上海之夜》	春天舞台製作有限公司	III-2

年代	演出名稱	藝團	相關訪問
	《上海屋簷下》	香港影視劇團	II-2
	《女大不中留》	香港芭蕾舞團	I-1
	《小飛俠》	香港芭蕾舞團	I-1
	《元州街茱莉小姐不再在這裡》	瘋祭舞台	I-6
	《卡門》	臨時市政局主辦、盧景文製作	III-6
	《末代皇帝》	香港芭蕾舞團	I-1
	《白雪公主》	中天製作有限公司	II-2
	《吉賽爾》	香港芭蕾舞團	I-1
	《托斯卡》	香港藝術節	III-1、III-6
	《我對青春無悔》	灣仔劇團	III-5
	《杜蘭朵》	市政局委約、盧景文製作	II-1
	《兩條老柴玩遊戲》	劇場組合	I-5、II-3
	《南海十三郎》	香港話劇團	III-1
	《城寨風情》	香港話劇團、香港中樂團、香港舞蹈團	德義兼備的「老大哥」、I-6、II-2、III-1、III-3、III-7
	《美人如玉劍如虹》	中天製作有限公司	II-2、III-4
	《胡桃夾子》	香港芭蕾舞團	I-1、III-3
	《原野》	中天製作有限公司	I-1
	《茶花女》	香港藝術節	III-3
	《情危生命線》	新域劇團	III-3
	《假面舞會》	香港藝術節	III-1

年代	演出名稱	藝團	相關訪問
	《雪狼湖》	天星文化娛樂有限公司	I-1、I-6、III-5、III-6、IV-1
	《傅雷與傅聰》	香港話劇團	德義兼備的「老大哥」
	《愛情觀自在》	香港話劇團	德義兼備的「老大哥」
	《說書人柳敬亭》	中英劇團	對劇場的愛與信念、III-2
	《遠大前程》	亞洲藝術節	III-1
	《德齡與慈禧》	香港話劇團	德義兼備的「老大哥」
	《播音情人》	春天舞台製作有限公司	III-2
	《鄭和的後代》	瘋祭舞台	I-5
	《歷奇》	香港話劇團	III-6
	《禧春酒店》	中英劇團	III-4
2000-2009			
	《4.48精神異常》	前進進戲劇工作坊	I-5
	《Plaza X 與異變街道》	城市當代舞蹈團	III-3
	《火之鳥劇場版—八百比丘尼》	普 劇場	I-5
	《王子復仇記》	大中華全球文化協會	II-2
	《托斯卡》	康樂及文化事務署主辦、盧景文導演	III-6
	《西樓錯夢》	任白慈善基金	I-4、II-3、III-7

年代	演出名稱	藝團	相關訪問
	《但願人長久—— 鄧麗君傳奇音樂劇》	鄧麗君文教基金會	III-2
	《我愛阿愛》	香港話劇團	II-2
	青年戲劇家系列三 《如廁》	瘋祭舞台	I-3
	《拾香紀》	三角關係	I-2
	《柯迪夫》	W創作社	I-3
	《風雲》	香港舞蹈團	I-5
	《留守太平間》	中英劇團	I-2、III-7
	《馬克白》	康樂及文化 事務署主辦、 盧景文導演	III-6
	《動物農莊攪攪震》	劇場組合	I-5
	《梁祝下世傳奇》	W創作社	I-3
	《雪狼湖》	天星文化娛樂 有限公司	I-3、III-5
	《喜尾注》	香港戲劇協會	I-2、II-2、III-4
	《無好死》	劇場組合	I-5
	《給你一點顏色》	城市當代舞蹈團、 北京現代舞團	III-3
	《華麗上班族之 生活與生存》	非常林奕華	II-3
	《新傾城之戀》	香港話劇團	III-3
	《煙雨紅船》	英皇娛樂集團	III-1、III-2、III-3
	《萬世歌王》	劇場組合	II-3、IV-1

年代	演出名稱	藝團	相關訪問
	《遊唱詩人》	康樂及文化事務署主辦、盧景文導演	III-6
	《遊園》	劇場組合	IV-1
	《睡美人》	香港芭蕾舞團	III-3
	《酸酸甜甜香港地》	香港話劇團、香港中樂團、香港舞蹈團	II-2、III-1
	《墮落鳥》	劇場組合	II-3
	《德齡與慈禧》	香港話劇團	德義兼備的「老大哥」
	《蘇絲黃》	香港芭蕾舞團	III-5
2010-			
	《Art呃》	神戲劇場	III-1
	《一年皇帝夢》	香港話劇團	II-2
	《十二生肖大冒險の冰雪奇熊》	香港舞蹈團	III-6
	《十八樓C座》	香港話劇團、商業電台	I-3
	《大狀王》	自由空間、香港話劇團	IV-1
	《大龍鳳》	中英劇團	I-2
	《小飛俠》	香港芭蕾舞團	IV-2
	《太平山之疫》	香港話劇團	II-2
	《孔子・回首63》	中英劇團	III-1
	《布拉格・1968》	劇場空間	I-2
	《打轉教室》	鄧樹榮戲劇工作室	IV-1

年代	演出名稱	藝團	相關訪問
	《有飯自然香》	香港話劇團	德義兼備的「老大哥」
	《我和青天有個秘密》	爆炸戲棚	I-3
	《我們的音樂劇》	香港小交響樂團	III-1
	《咏嘆調》	動藝	I-4
	《俏紅娘》	香港話劇團	I-3
	《紅色的天空》	中英劇團	對劇場的愛與信念、I-2、II-2
	《胎內》	役者和戲	I-5
	《風雲》	香港舞蹈團	I-5
	《唯獨祢是王》	唯獨舞台	I-3、II-2
	《張保仔傳奇》	非凡美樂	II-1
	《脫皮爸爸》	香港話劇團	I-3
	《頂頭鎚》	香港話劇團	德義兼備的「老大哥」
	《無際空境》	香港演藝學院	I-4
	《曾經發生，一些相似的事情》	小龍鳳舞蹈劇場	I-3
	《聖荷西謀殺案》	達摩工作室	III-1
	《聖奧思定・三十而立~思而後能定》	思定劇社	II-2
	《賈寶玉》	非常林奕華	II-3、III-5
	《睡美人》	香港芭蕾舞團	III-3
	《蝶影紅梨記》	任白慈善基金	好景：讓我們延續魯氏盛宴
	《羅生門》	中英劇團	對劇場的愛與信念

鳴謝

本出版及「追憶・有德有義魯師傅——追思會及出版計劃眾籌」支持者眾，未能盡錄，謹此致謝。特此鳴謝出席魯師傅追思及摯友分享會人士。

◆《追憶・有德有義魯師傅》出版計劃眾籌召集團體

香港專業戲劇人同盟

香港舞台技術及設計人員協會

香港舞蹈聯盟

香港演藝學院校友會

香港戲劇協會

◆《追憶・有德有義魯師傅》出版計劃眾籌支持人士／團體

Toby Au
Winton Au
Tyson Chak
Alva Chan
Bernice Chan
Chi Fan Chan
Chitman Chan
Chun Wai Chan
Derek Chan
Elaine Chan
Freddie Chan
John Chan
Jonie Sy Chan
KB Chan
Keiko Chan
Keo Chan
Nok Chan
Eva Chau
Chau Ka Fai
Doris Chen
Justin Chen
Carmen Cheng
Emily Cheng
Ching Wo Cheung
Wah Hing,
Max Cheung
Wai Kiu Michelle Cheung
Chow Chun Yin &
Jacky Chan
Keung Chow
Shuk Ching Chow
Mui Ngam Chong
Naomi Chung
Tsz Kin Chung
Allen Fung
Patrick Fung
Douglas H
Hamida Ha
Lucretia Ho
Virginia Kam
Aminur Khondoker
Kan Kwan
Ruby Kwan
Esther Kwok
Anther Lam
Hing Lun Lam
Kwai Man Lam
Sunny Lam
Lam Ying Kit
Lai Maurice
Sunnie Lai
Ho Cheung Lau
Sunfool Lau
Indy Lee
Jones Lee
Lawrence Lee
Nancy Lee
Priman Lee
Natalie Leung
Olivia Thomas Leung
Pat Leung
Tsui Shan Leung
Grace Li

Jacky Li
Ching Man Lo
Queenie Lo
Sonia Lo
Eric Lui
Ivan Mak
Mak Kwong Fai
Fredric Mao
Ka Man Mo
Rumee Mosabbir
Mavis Mung
Ka Leung Ng
Hang Ying Pang
K Pang
Yvonne Pang
RPo
Satina Shum
Ho Yin Sin
Jiou Siu
Leo Siu
Eric So
Isabella Suen
Wing Kwan Suen
Doris Tai
Billy Tang
Sharon Tang
Shu Wing Tang
Joey Yee Tak Tsang
Tso On Yin
Shek Pang Tsui
Mac Sze Chung Tu
John Vu
Cola Wong
Freddy Wong
Gladys Wong
Jonathan Wong
Kevin Wong
Vicky Wong
Wayne Wong
Justine Woo
Chun Sze Wun
Abby Yeung
Frank Yeung
Yeung Sze Man
Tsz Yan Yeung
Yip Kei Wai Connie
Yip Wai Bun
Hon Ting Yu
Siu Kei Yu
Shybil Yuen
阮漢威
林澤群
陳重重
蔣文愷，張琪蓉，蔣仕成
魯小仙，陸耀英
魯德煒
Chris Shum Mushroom People Co. Ltd.
Hong Kong Dance Federation Ltd.
M Square Design Management Ltd.
Tribute Los
第四線劇社
劇場空間
灣仔劇團

◆ 受訪者

王志強	新加坡LASALLE College of the Arts講師
王奕慎	自由身工作者
王健偉	空間設計師
王梓駿	設計師
王德瑩	Senior Manager, Apple Hong Kong
孔德瑄	品牌高級視覺營銷經理、舞台及服裝設計師
甘玉儀	Pacific Lighting (HK) Ltd. 聯合董事
伍宇烈	城市當代舞蹈團藝術總監
李紅寶	魯氏美術製作有限公司員工
李浩賢	製作總監、香港舞台技術及設計人員協會主席
李衛民	設計師
何思頴	自由身工作者
何應豐	自由文化工作者、藝行人
余振球	劇場空間藝術創作總監
呂偉基	香港演藝學院舞台及製作藝術學院高級講師（製作管理）
阮漢威	設計師
林奕華	非常林奕華藝術總監
林菁	香港話劇團舞台技術主管
林禮長	城市當代舞蹈團技術總監
邵偉敏	設計師
周錦全	香港演藝學院前技術總監（場地）

招藹盈	壁畫師
徐子宜	Stage Tech Limited Project Director
徐寓安	康樂及文化事務署駐場技術監督（新界東）
徐碩朋	香港知專設計學院舞台及佈景設計課程主任
陳志權	香港演藝學院前舞台設計系主任
陳健彬	香港話劇團名譽顧問
陳興泰	Artech Design & Productions Co Ltd. 董事
陳寶愉	製作總監
張正和	設計師
張可堅	中英劇團藝術總監、香港戲劇協會副會長
張向明	製作經理
麥秋	資深戲劇人
梁觀帶	西九文化區管理局高級技術與製作經理（表演藝術）
曾文通	藝術家、舞台設計師及頌缽演奏者
曾以德	Espectro Limited 製作總監
黃逸君	香港演藝學院舞台及製作藝術學院講師（設計）
黃錦江	自由身工作者、藝術家
傅月美	香港演藝學院戲劇學院顧問委員會委員、導演
馮家瑜	註冊藝術（表達藝術）治療師、舞台自由工作者
雷秀玉	自由身工作者、魯氏美術製作有限公司前任員工
葉卓棠	跨媒體創作人
楊福全	西九文化區管理局表演藝術（技術發展）高級經理

廖卓良	劇場空間劇團經理
甄詠蓓	甄詠蓓戲劇工作室藝術總監
魯陳玲玲	魯師傅太太
魯璐	魯師傅大女兒
魯依蕊	魯師傅二女兒
劉漢華	製作經理
鄭慧瑩	自由身工作者
賴妙芝	設計師
盧景文	非凡美樂總監
蘇國威	J&C Joel Ltd. 區域營業經理、魯氏美術製作有限公司前任員工
蘇紹文	魯氏美術製作有限公司負責人

◆ 相片提供

BHT Theatre

Gold Blue Limited

Opera Workstation Limited

Performer Studio

PROJECT ROUNDABOUT

W創作社

一攝無邊：香港劇場影像紀錄數碼資料庫（攝影師：阮漢威、曾文通、謝明莊、關本良）

力行劇社

大中華文化全球協會

王仁曼芭蕾舞學校

中天製作有限公司

中英劇團

心創作劇場

任白慈善基金

同流

好戲量

非凡美樂

非常林奕華

奇想偶戲劇團

前進進戲劇工作坊

城市當代舞蹈團

思定劇社

春天舞台製作有限公司

美亞娛樂

英皇娛樂集團

風車草劇團

香港小交響樂團

香港青年藝術協會

香港兒童音樂劇團

香港芭蕾舞團

香港芭蕾舞學會

香港音樂劇藝術學院

香港話劇團

香港舞蹈團

香港演藝學院

香港影視劇團

香港戲劇工程

香港戲劇協會

香港藝術節

致群劇社

神戲劇場

桃花源粵劇工作舍

捌秋壹

剛劇場

荃灣青年劇藝社

偶友街作

第四線劇社

深圳歌舞團

眾劇團

唯獨舞台

普 劇場

無人地帶

進念・二十面體

進劇場

紫昕音樂世界

森美小儀歌劇團

華意堂藝術策劃有限公司

新域劇團

達摩工作室

演員的自我搔癢

演戲家族

瘋祭舞台

樼劇場

赫墾坊劇團

劇場空間

劇道場

糊塗戲班

鄧樹榮戲劇工作室

澳門演藝學院戲劇學校

澳門戲劇社

澳門戲劇農莊

爆炸戲棚

藝堅峰

灣仔劇團

以及所有攝影／提供相片的人士

◆ 訪問場地提供

Allpamama 柯帕瑪瑪

Pacific Lighting (HK) Ltd.

非常林奕華

香港海洋公園

香港演藝學院

香港藝術中心

魯氏美術製作有限公司

◆ 其他鳴謝

Ziv Chun 及訪問攝製團隊

麥光輝

art-mate

出版單位簡介

資助及出版單位

香港話劇團

香港話劇團是香港歷史最悠久及規模最大的專業劇團。一九七七年創團，二〇〇一年公司化，受香港特別行政區政府資助，由理事會領導及監察運作，聘有藝術總監、助理藝術總監、駐團導演、演員、戲劇教育、舞台技術及行政人員等八十多位全職專才。四十六年來，劇團積極發展，製作劇目超過四百個，為本地劇壇創造不少經典劇場作品。

中英劇團

中英劇團（中英）成立於一九七九年，初為英國文化協會附屬組織，現為註冊慈善機構，獲香港特別行政區政府資助，為本地九個主要藝團之一，現由藝術總監張可堅先生領導。中英一直積極製作兼具本土特色與國際視野的優秀劇目，並以多元的戲劇教育活動，聯動各界、服務社群，推廣舞台藝術至社會各個階層，提升人文素質。歷年來，中英公演超過三百六十齣劇目，在歷屆香港舞台劇獎頒獎禮中奪得一百個獎項，同時積極推動文化交流，足跡遍及世界各地。

出版單位

香港舞台技術及設計人員協會

於一九八九年成立，是一個關注劇場藝術、設計及技術的非牟利專業團體。成員多為職業劇場工作者，旨在促進劇場科藝及舞台設計專業發展及開拓世界劇場文化與技術交流。自一九九三年起，香港舞台技術及設計人員協會正式成為國際舞台美術家劇場建築師暨劇場技術組織（Organization Internationale des Scénographes, Techniciens et Artchitectes de Théâtre, OISTAT）香港地區代表。

國際演藝評論家協會（香港分會）

一九九二年，香港成為國際演藝評論家協會第五個亞洲分會，自成立以來，致力推動藝術評論，舉辦各類藝評活動，出版刊物，並參與國際會議及海外交流計劃。過去多年，本會一直獲得香港藝術發展局三年資助，會務得以積極發展，並與本地以至亞洲區內各演藝團體、藝術家建立了穩定的伙伴關係。

好景——魯師傅與香港舞台：技術與承傳 Setting the Stage: Master Lo and Set Design in Hong Kong — On Cultivation

聯合出版：
香港話劇團、中英劇團、香港舞台技術及設計人員協會（《追憶 · 有德有義魯師傅》出版計劃眾籌召集團體代表）、國際演藝評論家協會（香港分會）

《追憶 · 有德有義魯師傅》出版計劃眾籌
召集團體（按筆畫序）：香港專業戲劇人同盟、香港舞台技術及設計人員協會、香港舞蹈聯盟、香港演藝學院校友會、香港戲劇協會
召集人（按筆畫序）：王梓駿、甘玉儀、伍宇烈、李浩賢、徐碩朋、曾以德、黃懿雯、溫俊詩、潘詩韻、盧景文、龍世儀、羅國豪

香港話劇團有限公司
電話：(852) 3103 5930
傳真：(852) 2541 8473
電郵：enquiry@hkrep.com
網址：www.hkrep.com

中英劇團有限公司
電話：(852) 3961 9800
傳真：(852) 2537 1803
電郵：info@chungying.com
網址：www.chungying.com

香港舞台技術及設計人員協會有限公司
電郵：hkatts@hkatts.com.hk
網址：www.hkatts.com.hk

國際演藝評論家協會（香港分會）有限公司
電話：(852) 2974 0542
傳真：(852) 2974 0592
電郵：iatc@iatc.com.hk
網址：www.iatc.com.hk

計劃統籌：李浩賢、潘詩韻
行政統籌：黃懿雯
資料統籌：曾以德、梁菀桐
編輯：潘詩韻、陳國慧、朱琼愛、林喜兒
執行編輯：郭嘉棋、楊寶霖
封面設計及排版：張惠淳
印刷：綠藝（海外）制作
發行：一代匯集

2023年11月初版
定價：港幣480元
國際書號：978-988-76138-0-0
Printed in Hong Kong

香港話劇團、中英劇團由香港特別行政區政府資助
Hong Kong Repertory Theatre and Chung Ying Theatre Company are financially supported by the Government of the Hong Kong Special Administrative Region

國際演藝評論家協會（香港分會）為藝發局資助團體
IATC(HK) is financially supported by the HKADC

香港藝術發展局全力支持藝術表達自由，本計劃內容並不反映本局意見。
Hong Kong Arts Development Council fully supports freedom of artistic expression.
The views and opinions expressed in this project do not represent the stand of the Council.